Gabriele Kopp

Siegfried Büttner

Josef Alberti

Planet 2

Deutsch für Jugendliche

Kursbuch

Hueber Verlag

Symbole in Planet 2

 Texte hören, lesen
und sprechen

 Texte hören
und verstehen

Tracklisten für CDs
im Anhang

 Lesen

 Schreiben

 Miteinander sprechen
– *neue Situationen*
– *eigene Erfahrungen*

9.   8.   7.   Die letzten Ziffern
2017   16   15   14   13   bezeichnen Zahl und Jahr des Druckes.
Alle Drucke dieser Auflage können, da unverändert,
nebeneinander benutzt werden.
1. Auflage
© 2005 Hueber Verlag, 85737 Ismaning, Deutschland
Umschlaggestaltung: Alois Sigl, Hueber Verlag, Ismaning, unter Verwendung von Fotos
von Peter Kallert, Weyarn; Brigitte Micheler, München; Susanne Probst, München
Zeichnungen: LYONN, Köln
Layout: Barbara Slowik, München
Druck und Bindung: Stürtz GmbH, Würzburg
Printed in Germany
ISBN 978–3–19–001679–2

Inhalt

Inhalt

Meine Geschwister und ich

Sport und Spaß

He, wer bist du denn?
Bist du neu hier? Wie heißt du?
Und wie alt bist du?
In welche Schule gehst du?
Machst du gern Sport?
Erzähl doch mal!

Also ich ... Und du?
Du bist ja gut drauf heute!
Wo wohnst du? ...

Das lernst du:

- sich orientieren
- Erlaubnis und Verbot aussprechen
- Personen vergleichen
- Spielregeln verstehen
- über das eigene Befinden sprechen
- Personen beschreiben
- jemanden auffordern/bitten

- einen Vorschlag machen
- persönliche Angaben machen
- Erlebtes erzählen
- Orte im Haus und in der Umgebung
- Gegenstände im Haus
- Sportarten
- Körperteile

Klassenfahrt

1 Dahin fahren deutsche Schulklassen gern

1

Jugendherberge Berlin - Am Wannsee

Die Jugendherberge liegt im Südwesten der Stadt, zwischen dem Zentrum und der Kulturstadt Potsdam. Mit der Wannseebahn S1 erreicht man in kürzester Zeit alle touristischen Highligts.

2

Jugendherberge Wangerooge Westturm

Der Ausblick über die Insel und das Meer ist herrlich. Ganz oben im Turm ist ein Aufenthaltsraum. Da halten sich die Jugendlichen am liebsten auf. Es gibt auch einen Fahrradverleih. Das ist praktisch, denn auf Wangerooge fahren ja keine Autos.

3

Jugendherberge Bacharach, Burg Stahleck

Burg Stahleck – aus dem 11. Jahrhundert – wird heute als Jugendherberge genutzt. Der Blick geht weit über das Rheintal mit der Loreley. Ein idealer Ort für Romantiker und Wanderer.

4

Schullandheim Ambach

Direkt am Starnberger See liegt das Schullandheim Ambach. Wer möchte, kann eine Schifffahrt auf dem See machen oder das Schwimmbad in Starnberg besuchen. Ambach ist ruhig, aber nie langweilig.

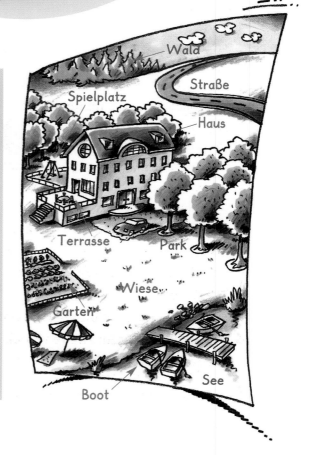

Was passt?

1	2	3	4
?	?	?	?

2 Ankunft im Schullandheim Ambach

Lage

Das Schullandheim, umgeben von einem großen Park, liegt direkt am Ostufer des Starnberger Sees.

Räume

72 Schülerinnen und Schüler finden in 4-Bett-Zimmern Platz. Für die Lehrer sind sechs Einzelzimmer vorhanden. Es gibt einen Speisesaal, zwei Unterrichtsräume und einen Tischtennisraum.

Spiel und Sport

Auf einem großen, parkähnlichen Gelände gibt es einen Spielplatz und eine Wiese am eigenen **Badestrand**. Im Sommer kann man eine Schifffahrt auf dem Starnberger See machen. In Starnberg kann man das Hallenbad besuchen. Eine gute Medienausstattung und ein großes Spielesortiment für drinnen und draußen stehen zur Verfügung.

Strategie

Bildinformationen helfen dir, die gehörten Informationen zu verstehen.

a) Hör zu und schau die Bilder an.

b) Was gibt es hier / in Ambach?
Sprich so: Hier / In Ambach gibt es einen See, ein ..., eine Wiese und ...

c) Hör noch einmal zu. Nun lies den Text. Welche Informationen sind gleich?

Es gibt	einen See	ein Haus	eine Wiese	— Boote
Es gibt	+ Akkusativ			

d) Frag deinen Partner: Gibt es in Ambach einen Park / ein Kino / ...? –
Ja. / Nein, es gibt keinen/kein/keine ...

e) Was gibt es bei euch (in eurer Stadt / in eurer Schule)?
Sprich so: Bei uns gibt es ...

3 Im Haus

a) Hör zu und schau das Bild an.

b) Hör zu, zeig mit und sprich nach.

c) Hör noch einmal die Geschichte.
Nun lies die Sätze.
Was ist richtig?
Was ist falsch?
Verbessere.

1 Im Schullandheim sind zwei Klassen.

2 Die Disco ist unten im Keller.

3 Die Jungen-Schlafzimmer sind unten.

4 Die Küche ist links hinten.

5 Die Mädchen-Schlafzimmer sind oben im ersten Stock.

6 Die zwei Klassenzimmer sind links.

7 Der Speisesaal ist rechts.

8 Der Tischtennisraum ist draußen.

9 Die Treppe ist vorn.

10 Das Spielzimmer ist unten im Erdgeschoss.

11 Die Bibliothek ist im zweiten Stock.

12 Die Terrasse ist drinnen.

d) Hör die richtigen Sätze zur Kontrolle.

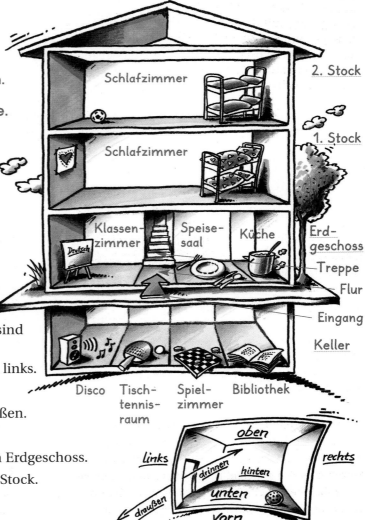

4 Lauter Laute

L17/5

a) Hör zu, lies mit und sprich nach.
Klassenzimmer, Tischtennis, Stock, Spielplatz, Keller, Treppe, Terrasse, Schlafzimmer

L17/6

b) Den Vokal vor tz, ck oder zwei gleichen Konsonanten sprichst du kurz.
Lies laut. Hör zu. Richtig? Wiederhole.

Sportplatz, Spielplatz, Spitzer, Mütze, Katze, putzen
Stock, Block, Rock, einpacken, Frühstück, dick, Glück, Jacke, wecken
Tennis, Klasse, schwimmen, Bett, Pulli, Müll, Radiergummi, Mäppchen, Herr, treffen

L17/7

5 Im zweiten Stock

＊ Mensch, ich habe noch nie ein Bett gemacht.
   Ich kann das einfach nicht.
   Herr Meier, kommen Sie doch bitte mal!
▲ Na, alles klar?
＊ Nein! Ich kann das nicht. Helfen Sie mir bitte!
€ Also, das musst du schon allein machen.

Und auch so:

| Frau Scholz | Machen Sie doch bitte mein Bett! | So weit kommt's noch! |
| Herr Weber | Wie geht das? Zeigen Sie mal! | Sieh mal, das geht so ... |

L17/8

Hör die Dialoge zur Kontrolle.

| Sie kommen. | Herr Meier, kommen Sie doch bitte mal! |
| Sie machen mein Bett. | Herr Weber, machen Sie doch bitte mein Bett! |

L17/9

6 Herr Lehmann und Herr Franz

Hör zu und sprich nach.
Nun gib Herrn Franz Anweisungen. Sei freundlich!

Herr Franz, machen / holen Sie doch bitte ...

7 Die Hausordnung

a) Zu welchen Nummern passen diese Titel?

A Zeitplan
B Ordnung im Zimmer
C Regeln für draußen
D Tischdienst

Lösung:

A	B	C	D
?	?	?	?

b) Lies genau. Was müssen die Schüler im Schullandheim machen? Was dürfen sie machen? Finde diese Tätigkeiten im Text.

HAUSORDNUNG

Wir bitten unsere Gäste, folgende Punkte zu beachten:

1. Im Haus darf man nur Hausschuhe tragen. Die Straßenschuhe muss man im Keller abstellen.

2. Jede Zimmergemeinschaft muss für Ordnung im Zimmer sorgen, das heißt: das Bett machen und das Zimmer aufräumen. Für Abfälle stehen Müll-Container bereit.

3. Die Essenszeiten müssen genau eingehalten werden:
   Frühstück: 8.00 Uhr   Mittagessen: 11.30 Uhr
   Abendessen: 17.30 Uhr

4. Vor dem Essen decken die Schüler den Tisch. Nach dem Essen räumen sie das Geschirr ab und machen die Tische sauber.

5. Die Nachtruhe beginnt um 22.00 Uhr.

6. Im Wald darf man spazieren gehen, aber nicht auf Bäume klettern und kein Feuer machen. Die Boote darf man benutzen, aber nicht ohne Aufsicht.

c) Hör zu, zeig mit und sprich nach.

L17/10

Feuer machen — den Tisch decken — das Geschirr abräumen — auf Bäume klettern — Boot fahren — Hausschuhe tragen

8 Interviewspiel

Sammelt an der Tafel Tätigkeiten und schreibt Nummern davor.

1 Feuer machen   8 das Bett machen
2 den Tisch decken   9 auf Bäume klettern
3 das Geschirr abräumen 10 Boot fahren

haben +

decken → gedeckt
tragen → getragen
abräumen → abgeräumt
bringen → gebracht

sein +

klettern → geklettert
gehen → gegangen
fahren € gefahren

Durch die Klasse gehen und sechs Mitschüler fragen.

Sonja, bist du schon einmal Boot gefahren? — Ja. — Jens, hast du schon mal den Tisch gedeckt? — Nein.

Namen und Nummern schreiben

Sonja 10 +
Jens 2 –

+ für „ja", – für „nein"

Tipp!
Lern Verben immer mit der Perfektform.

Zum Schluss vorlesen:
Sonja ist schon mal Boot gefahren. Jens hat noch nie den Tisch gedeckt.

Wer gewinnt?

1 Wer geht wohin?

1
Wir können
doch auf den
... gehen.

2
Ich gehe spazieren.
Wer geht mit in den ...?

3
Ich möchte
an den ...

Ihr habt jetzt
zwei Stunden Zeit.

4
Wer kommt mit in die ... ?

5
Ich gehe
ins ...

a) **Ergänze die Aussagen:** Wald – Spielplatz – See – Zimmer – Bibliothek

I
Ich gehe
gern ein
bisschen
spazieren.

b) **Wie passen die Antworten zu den Aussagen?**

S Ich! Ich möchte auch
ein bisschen lesen.

E Ich komme mit.
Ich möchte die
Boote sehen.

W Au ja! Wir
können Basketball
spielen.

E Ich auch. Ich bin so müde.

1	2	3	4	5
W	?	?	?	?

Lösung:

2 Was war denn los?

a) **Ergänze den Dialog mit diesen Wörtern:**
Angst – Ball – Lust – recht

L18/1

b) **Hör den Dialog zur Kontrolle.**

c) **Was ist auf dem Spielplatz passiert?**
Sprecht darüber.

d) **Anderen ist das Gleiche beim Tisch-**
tennis passiert. Mach das Gespräch.

ich	hatte	wir	hatten
du	hattest	ihr	hattet
er/es/sie	hatte	sie/Sie	hatten

✳ Na, ihr seid schon wieder da?
Habt ihr denn nicht Basketball gespielt?

▲ Na ja, wir sind auf den Spielplatz
gegangen. Ich hatte einen ✳✳✳ dabei.
Aber da waren die von der anderen Klasse.

✳ Und warum habt ihr nicht
zusammen gespielt?

▲ Die anderen hatten keine ✳✳✳.

❑ Was? Keine Lust? Die waren gemein!
Du hattest ja leider ✳✳✳ .

▲ Quatsch! Ich hatte keine Angst.

❑ Und warum sind wir dann gegangen?

▲ Ach, so was gibt doch nur Streit.

✳ Das war besser so.

▲ Siehst du! Ich hatte ✳✳✳ .

Geld Hunger Durst etwas dabei

Lust **haben** keine Ahnung

3 Situationen

Angst Glück Zeit Pech recht

Schreib kleine Dialoge. Ergänze die Antworten.

1 Der Film war Mist!
2 Warum seid ihr weggelaufen?
3 Warum habt ihr das Spiel verloren?
4 Du hast ja gar nichts getrunken.
5 Warum bist du nicht auf Jans Party gekommen?

6 Warum hast du die CD nicht gekauft?
7 Wir haben 21 : 20 gewonnen!
8 Warum hast du nichts gegessen?

Beispiel: ■ Der Film war Mist!
▲ Siehst du! Ich hatte recht.

4 Ein Telefongespräch

a) **Hör zu. Lies die Sätze. Was ist richtig, was ist falsch?**

1 Es gibt Probleme mit den Lehrern.
2 Es gibt Probleme mit der anderen Klasse.
3 Die Lehrer und die Klassensprecher haben sich getroffen.

4 Die Lehrer möchten, dass die Klassen einen sportlichen Wettkampf machen.
5 Der Wettkampf besteht aus vier Teilen.

L18/2

b) **Hör noch einmal zu. Schau die Bilder an. Welche Sportarten kommen nicht vor?**

c) **Welche Sportarten können die Schüler nicht vorschlagen? Und warum?**

d) **Hör zu, zeig mit und sprich nach.**

L18/3

S Rudern

U Basketball

R Rodeln/Schlitten fahren

P Tischtennis

T Tauchen

O Turnen

B Leichtathletik: Laufen

S Weitsprung

U Hochsprung

L Werfen

e) **Was für einen Sport machst du?**
Was für einen Sport macht man an deiner Schule und in deinem Land?

5 Sporthinweise

Leistungszentrum München für Rudern und Kanu

TSV Wiggensbach e.V., Turnabteilung
Eintrittskarte
TURN-GALA 2002
in der Turnhalle Wiggensbach
Einlaß ab 19 Uhr
nicht nummerierter Tribünenplatz

K Sa. 30.11. 20 Uhr

Winterfreuden
Rodeln
...auf der beliebten
5,5 Km langen
Winterrodelbahn
mit Rodelverleih
am Blomberg
bei Bad Tölz

Match Pointer
GAST HEIM
2 6
4 5
6 1

Rotes Meer
Tauchangebote für Sie

a) Lies die Texte und schau die Bilder in Übung 4 an. Was passt zusammen?

Lösung:

1	2	3	4	5
?	?	?	?	?

b) Stell Fragen mit *Wann? Wo? Wer?* und such die Informationen in den Texten.

6 Die siebte Klasse berät

L18/4

a) Lies die Angaben. Hör zu. Wie passen die Angaben zusammen?

1 Wir spielen doch ganz gut.
2 Hast du gesehen, wie groß die sind?
3 Du trainierst doch viel im Fitness-Studio.
4 Ihr könnt doch ziemlich schnell rudern.
5 Du kannst doch so hoch springen.

a Mehr kann man gar nicht machen.
b Wir rudern bestimmt schneller als die.
c Vielleicht springen die anderen höher als ich.
d Die sind doch alle größer als wir.
e Die anderen spielen vielleicht besser als wir.

Lösung: Basketball: 2 ?   Leichtathletik: ? ?
         Volleyball: ? ?   Fitness-Training: ? ?
         Rudern: ? ?

L18/5

b) Hör die Sätze zur Kontrolle.

Strategie
Lies vor dem Hören die Angaben. Das erleichtert das Verstehen von Einzelinformationen.

schnell	schneller	hoch	höher	gut	besser
weit	weiter	groß	größer	viel	mehr
		alt	älter	gern	lieber

Die sind größer als wir.   Die springen höher als Amelie.

7 Streit-Lied

Wir springen weiter, viel weiter als ihr.
Und wer schwimmt schneller? Wir! Wir! Wir!
Wir gewinnen!
Nein, wir gewinnen!
Und wir gewinnen doch!
Wollen wir denn nicht beginnen?
Warum wartet ihr denn noch?

Macht weitere Strophen:

schneller fahren / rudern / laufen / reiten
höher springen / klettern / werfen
besser spielen / tanzen / reiten
weiter werfen

8 Schüler-Triathlon

Rad-Staffel: Jede Staffel besteht aus drei Fahrern. Bis zur Wendemarke fahren und zurück; dabei einen Hindernis-Slalom durchfahren.

Staffellauf mit Ball: Jede Staffel besteht aus vier Läufern, zwei Mädchen und zwei Jungen. Bis zur Wendemarke laufen und zurück; dabei einen Ball dribbeln wie beim Basketball.

Ruderboot-Staffel: Jede Staffel besteht aus zwei Mannschaften, in jedem Boot ein Mädchen und ein Junge. Bis zur Wendemarke im See rudern und zurück. Dann wechseln.

Bei jedem Wettbewerb gibt es einen Punkt für die Sieger-Staffel.

a) Beantworte die Fragen.

1 Aus welchen Sportarten besteht der Wettkampf?
2 Wie viele Schüler machen von jeder Klasse mit?
3 Wie viele Punkte kann man gewinnen?

b) Vergleiche den Schüler-Triathlon mit einem richtigen Triathlon.

9 Die Staffeln der siebten Klasse

Klara:

S Wir müssen die Staffeln zusammenstellen.
N Okay! Wer kann gut Rad fahren?
A Aha! Lisa und Jana fahren doch auch gut.
N Steffi kann am schnellsten rudern.
G Erkan, Kevin und Rita, schlage ich vor.
B ... der Staffellauf. Wer kann schnell laufen und gut Basketball spielen?
I Schon gut! Kann er denn auch schnell laufen?
L Gut. Jetzt fehlen nur noch zwei.

Johannes:

J Paul! Der fährt am sichersten.
D Ja, das glaube ich auch. Wer noch?
A Gut, wir fragen sie. Und jetzt noch ...
O Fangen wir doch mit Radfahren an.
E Wie ist es mit ... ?
E Ja, aber am schnellsten laufe ich. Ich mache auf jeden Fall mit.
U Ja. Gut, die Rad-Staffel ist fertig. Jetzt Rudern.
R Theo spielt am besten. Er springt am höchsten, er wirft am weitesten.

a) Ordne den Dialog. Lösung: Wie ist es mit

1	2	3	4	5	6	7	8	9	10	11	12	13	14	15	16
S	?	?	?	?	?	?	?	?	?	?	?	?	?	?	E

?

b) Hör den Dialog zur Kontrolle.

c) Schreib die Staffeln auf.

schnell	am schnellsten	hoch	am höchsten
sicher	am sichersten	groß	am größten
weit	am weitesten	alt	am ältesten
		gut	am besten
		viel	am meisten
		gern	am liebsten

10 Sportler

a) **Beantworte die Fragen.**
Wer läuft am schnellsten? Wer ist am dicksten?

b) **Frag deinen Partner. Verwende auch:**
klein – langsam – weit – hoch

11 Lauter Laute

a) **Hör zu und sprich nach. Achte auf -ng!**

• b) **Lies laut. Dann hör zu. Richtig? Wiederhole.**
Was ist dein Lieblingshobby? – Singen. – Fang an! – Langsam! – Hast du Angst? –
Ich kann nur englisch singen. – In Ordnung. – Entschuldigung. – Ich habe Hunger.

12 Der Ruder-Wettkampf

starten   wenden   wechseln

ins Wasser fallen   ankommen – gewinnen   gratulieren

a) **Hör zu und schau die Bilder an.**

b) **Schreib die Geschichte. Verwende
die Stichpunkte.**

Das kann ich schon:

Sätze und Wörter:

- sich orientieren — rechts – links, oben – unten, hinten – vorn, drinnen – draußen im Keller / Erdgeschoss / ersten Stock

- Erlaubnis und Verbot aussprechen — Man muss ... – Man darf nicht ... – Im Haus darf man nur ...

- im Haus — Eingang, Flur, Keller, Erdgeschoss, Schlafzimmer, Treppe, Küche

- in der Umgebung — See, Wald, Garten, Haus, Boot, Terrasse, Wiese, Straße, Baum

- Gegenstände im Haus — Tisch, Stuhl, Bett, Schrank, Tür, Fenster

- Sportarten — Rudern, Schlitten fahren/Rodeln, Tischtennis, Tauchen, Turnen, Leichtathletik: Laufen, Weitsprung, Hochsprung, Werfen

GRAMMATIK

1. das unpersönliche Pronomen *es*

Es gibt   einen See, ein Haus, eine Wiese und — Boote.

Es gibt   + Akkusativ

2. Verb

a) Imperativ als Höflichkeitsform

Herr Meier, kommen Sie doch bitte mal!

Frau Scholz, helfen Sie mir bitte!

Herr und Frau Weber, sehen Sie mal!

b) Präteritum von *haben*

ich	hatte	wir	hatten
du	hattest	ihr	hattet
er/es/sie	hatte	sie/Sie	hatten

3. Steigerung

schnell	schneller	am schnellsten	gut	besser	am besten
groß	größer	am größten	viel	mehr	am meisten
alt	älter	am ältesten	gern	lieber	am liebsten
hoch	höher	am höchsten			

Das Schülerturnier

1 Die Einladung

a) Stell Fragen zu
den Zetteln am
Schwarzen
Brett:
Was?
Wo?
Wann?
Wer?

Einladung / Anmeldung

Fußballturnier

Der Arbeitskreis Schulsport Straßlach
richtet auch dieses Jahr wieder ein
Hallen-Fußballturnier aus.

Zeit: vom 16. 11. – 20. 11.
Ort: Mehrzweckhalle Straßlach
Meldetermin: Montag, 31. 10.

Liebe Schülerinnen und Schüler
der 7. und 8. Klassen,
wer möchte
am Fußballturnier
teilnehmen?

Interessenten melden sich bis spätestens
Freitag, 14. 10,
bei Herrn Kraus, Sportlehrer

b) Lies die Aussagen. Wer ist das?
Ordne zu.

1 Moritz spielt bei einem Fußball-Klub.
2 Paula ist eine gute Fußballspielerin.
3 Jan mag Hallen-Fußball nicht.
4 Evelyn findet Fußball nicht interessant.
5 Lukas findet Mädchen-Fußball gut.

L Super! Da können auch
Mädchen mitspielen.

P Da mache ich mit! Ich
spiele doch so gut.

I Ich spiele lieber
draußen Fußball

S Die brauchen sicher
einen Torwart. Bei
Bayern München bin
ich das doch auch.

E Fußball! Wie
langweilig!

1	2	3	4	5
S	?	?	?	?

Lösung:

2 Fitness-Training

Hand, ⸚e   Arm, - e   Kopf   Ohr, - en   Bauch   Po   Bein, - e   Knie, -

Haar, - e

Zeh, - en

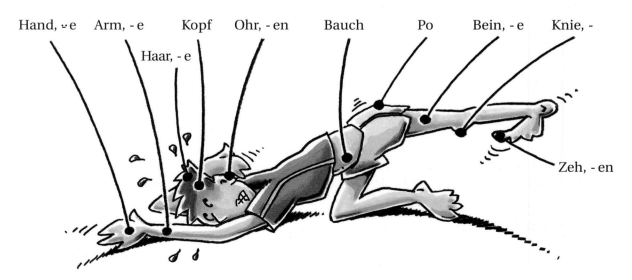

Rücken

Brust

Ober-
körper

Schulter

Nase

Fuß, ⸚e

Auge, - n

Gesicht

Mund

Zahn, ⸚e

Hals

Finger, -

a) **Hör zu und zeig mit.**

b) **Hör zu, zeig mit und sprich nach.**

L19/1

L19/2

3 Gymnastik-Rap

a) **Hör zu und mach mit.**

Wir wollen mal sehen, wer Gymnastik kann.
Die Arme fangen am besten gleich an.
Arme nach vorn und dann nach hinten,
nach oben, nach unten, nach rechts und nach links.
Gleich noch mal!

b) **Mach weitere Strophen.**

Wir wollen mal sehen,
wie's weitergeht,
wer wirklich was von
Gymnastik versteht.
Ein Bein ...

L19/3

L19/4

4 Fit und schön

➤ 1 Perfekte Arme

SO GEHT'S: Arme auf Schulterhöhe halten und in kleinen Kreisen bewegen. Danach auf die Hände zwei gleich schwere Bücher legen. Arme langsam nach vorn und nach hinten schwingen. Drei Minuten lang wiederholen.

I   T   F

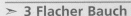
➤ 3 Flacher Bauch

SO GEHT'S: Sich mit geradem Rücken auf einen Stuhl setzen. Mit dem Po nach vorn rutschen, mit den Händen den Stuhl festhalten. Jetzt die Knie zur Brust ziehen.

➤ 2 Tolle Beine

SO GEHT'S: Fang so an: eine Minute laufen, eine Minute gehen, wieder eine Minute laufen. Das Training jeden Tag um eine Minute erweitern.

a) **Ordne die Bilder den Texten zu.**

Lösung:

1	2	3
?	?	?

b) **Probiert die Gymnastikübungen aus. Welche ist leicht, mittelschwer oder schwer?**

L19/5

5 Krank!

* Sebastian Grothe.
▲ Hallo, Basti. Hier ist Lukas.
* Hallo Lukas.
▲ Was ist denn mit dir los?
  Du warst heute nicht in der Schule.
  Geht's dir nicht gut?
* Nicht gut? Mir geht es furchtbar schlecht.
▲ War das Training etwa zu anstrengend?
* Quatsch!
▲ Was dann?
* Mir tut alles weh.
▲ Was tut dir denn weh?

* Ach, ich weiß nicht.
▲ Tun deine Beine weh? Tut dein Bauch weh?
* Nein, ja. Ich weiß nicht. Einfach alles!
  Ich habe auch Fieber und Schnupfen.
  Ich glaube, ich bekomme eine Grippe.
▲ Ach so. – Na dann, gute Besserung!

Mach weitere Telefongespräche:
Kopf, Hals, Schulter, ...

| Geht es **dir** nicht gut? | **Mir** geht es schlecht. |
| Was tut **dir** denn weh? | **Mir** tut alles weh. |

6 E-Mail an Lisa

Ergänze
mir – dir

> Nachricht
> Senden | Speichern | ABC | Datei einfügen... | Priorität ▾ | Optionen...
> Diese Nachricht wurde noch nicht gesendet
> An...
>
> Hallo, Lisa. Wie geht es ✳✳✳? Also, ✳✳✳ geht es richtig schlecht. Ich bin krank. Alles tut ✳✳✳ weh: mein Bauch, meine Ohren, mein Hals, alles. Ich habe Schnupfen, meine Nase läuft, meine Augen brennen. Fieber habe ich auch. ✳✳✳ ist gleichzeitig heiß und kalt. Was war heute in der Schule los? Kannst Du ✳✳✳ die Hausaufgaben bringen? Hoffentlich bin ich bald wieder gesund. Nächste Woche ist doch das Fußballturnier! Ich mache jetzt Schluss. Mein Kopf tut so weh. Und außerdem ist ✳✳✳ schlecht.
> Bis dann, Basti

7 Lisas Antwort

a)
Ordne den Text. Schreib die E-Mail.

> Nachricht
> Senden | Speichern | ABC | Datei einfügen... | Priorität ▾ | Optionen...
> Diese Nachricht wurde noch nicht gesendet
> An...
>
> Lieber Basti, (B) ✳✳✳ geht es gut. – (E) Aber vergiss mal die Schule. – (U) Und dann kannst Du auch wieder Fußball spielen. – (S) Kann ich ✳✳✳ sonst noch helfen? – (E) Aber ✳✳✳ nicht. Das tut ✳✳✳ leid. – (N) Liebe Grüße und gute Besserung, Deine Lisa – (R) Du musst bald wieder gesund werden. Das ist wichtiger. – (S) Natürlich bringe ich ✳✳✳ die Hausaufgaben.

Lösung: GUTE

	1	2	3	4	5	6	7	8	
	?	?	?	?	?	?	?	?	G

b) Ergänze *mir – dir*

8 Lauter Laute

a) Hör zu und sprich nach.
Achte auf das lange *e* und *i*.

b) Wo hörst du das Wort noch einmal?
Bei 1, 2, 3 oder 4?

c) Lies laut. Hör zu. Richtig? Wiederhole.

Wie geht es dir? – Knie und Zeh tun weh. – Sie hat wieder Fieber. –
Er sieht den Zeh. – Ihr seht zehn Zehen. – Er liest. – Ihr lest.

Dr. med.
Thomas Bauer
prakt. Arzt

Mo - Fr 8.30 - 12.00 17.00 - 18.30 Uhr
außer Mittwochnachmittag
Termine nach Vereinbarung

9 Anruf beim Arzt

a) Hör zu. Wer spricht?

Frau Grothe, Bastis Mutter – Basti – der Arzt Dr. Bauer – Frau Simmel, die Arzthelferin

b) Hör noch einmal zu. Was ist richtig? Was ist falsch?

1 Die Mutter ruft in der Praxis an.
2 Basti ist erkältet.
3 Basti kann in die Sprechstunde kommen.
4 Basti hat Schmerzen und keinen Appetit.

5 Basti muss viel Cola trinken, denn er hat sicher Durst.
6 Doktor Bauer kommt um sieben Uhr.
7 Frau Grothe sagt: „Auf Wiederhören."

c) Ergänze die Sätze.

1 Basti ist ✳✳✳.
2 Sein ✳✳✳ tut weh und seine ✳✳✳ auch.
3 Er ✳✳✳ nichts mehr, denn sein ✳✳✳ und sein ✳✳✳ tun weh.

4 Er hat ✳✳✳. Seine ✳✳✳ läuft, und seine ✳✳✳ brennen.
5 Er hat ✳✳✳, 38,9.
6 Das Baby ist ✳✳✳. Nur sein ✳✳✳ ist ein bisschen heißer als normal.

10 Extrablatt

a) Welche Überschrift passt zu den Textabschnitten der Schülerzeitung?
  A Die Spieler sind krank.
  B So verlieren wir!
  C Leider keine Mannschaft!

b) Stell deinem Partner Fragen zum Text. Verwende den Fragewürfel:
Wer? Wann? Was? Wie? Warum? und *?* (= Satzfrage)

Planet

Schülerzeitung der RS
Taufkirchen
Extrablatt

Eigentlich wollten wir euch an dieser Stelle unsere Mannschaft für das Schülerturnier im Fußball vorstellen. Aber das ist leider nicht möglich. Denn ihr habt es sicher schon bemerkt: Die Grippe geht um.

Sebastian Grothe, unser Torschützenkönig, ist schon krank, ebenso Moritz Wahl, der Torwart. Unsere beste Spielerin, Paula Richter, ist auch nicht fit. Sie ist erkältet und sieht gar nicht gut aus. Ihre Augen sind rot, ihr Gesicht auch. Wahrscheinlich hat sie Fieber. Ihre Nase ist rot und läuft, und ihr Hals tut auch schon weh, sagt sie.

O je! Nächste Woche ist das Turnier. Ohne unsere Besten haben wir keine Chance. Vielleicht finden die Spiele wegen der Grippewelle erst später statt. Hoffentlich!

seine Ohren
sein Gesicht
seine Nase
sein Mund

 seine Ohren
sein Gesicht
seine Nase
sein Mund

ihre Ohren
ihr Gesicht
ihre Nase
ihr Mund

11 Rollenspiel

a) Am nächsten Tag ist Paula Richter richtig krank. Sie kann nicht mehr in die Schule gehen. Paulas Mutter ruft den Arzt an. Sie ruft auch in der Schule an und entschuldigt ihre Tochter. **Macht die Telefongespräche.**

Zu schwer? Dann könnt ihr die Übungen 5 und 9 wiederholen.

b) Dein Bruder / Deine Schwester ist stark erkältet. Deine Eltern sind nicht da. Du rufst den Arzt an. Mach das Telefongespräch.

c) Du bist krank. Du gehst selbst zum Arzt. Spielt das Gespräch.

12 Paula liest Illustrierte

Psychotest:

Bist du romantisch?

Schau das Bild genau an.
Beantworte die Fragen und notiere die Punkte.

		Punkte
1.	*Wie findest du den Mann?*	
	a) Ich finde seinen Hals zu dick.	1
	b) Seine Arme sind so stark!	5
	c) Er macht wohl viel Bodybuilding.	3
2.	*Wie findest du die Frau?*	
	a) Sie hat nur Augen für ihn.	6
	b) Ich finde ihren Mund zu rot.	4
	c) Sie ist hübsch, aber doof.	2
3.	*Nun sieh ihre Hand an.*	
	a) Ich finde ihre Hand ganz normal.	1
	b) Ich finde ihre Finger zu dünn.	3
	c) Ihre Hand ist so schön wie die Rose.	5
4.	*Und jetzt das Auto.*	
	a) Ich mag seine Farbe nicht.	2
	b) Es ist sehr sauber.	4
	c) Das ist mein Traum-Auto!	6

Addiere deine Punkte.

6 – 11: Du bist realistisch. Alles Romantische hältst du für Quatsch.

12 – 17: Du nimmst die Situationen, wie sie kommen. Ist ein Abend mal romantisch? Warum nicht? Aber du brauchst nicht unbedingt Romantik zum Glücklichsein.

18 – 22: Du bist total romantisch. Du magst leise Musik, rote Rosen, Kerzenschein und ... Liebesfilme.

Wie findest du das Bild? Was denken die Personen wohl?

Ich mag								
	sein-en	Kopf		sein-en	Kopf		ihr-en	Kopf
	sein	Gesicht		sein	Gesicht		ihr	Gesicht
	sein-e	Nase		sein-e	Nase		ihr-e	Nase
	sein-e	Augen		sein-e	Augen		ihr-e	Augen

13 Basti liest die Sportzeitung

Wie findest du Mickys/Trixis/Jakobs/Janas Kleidung? Sprecht in der Gruppe darüber.

Sein/Ihr Seine/Ihre	...	gefällt mir (sehr) gut. gefallen mir (gar) nicht.		Ich finde	seinen/ihren sein/ihr seine/ihre	...	super/toll. doof/blöd/...

Sein/Ihr Seine/Ihre	...	ist sind	zu	groß/klein. lang/kurz. weit/eng.	Ich finde	seinen/ihren sein/ihr seine/ihre	...	zu ...

14 Dein Superstar und du

Wer ist dein Superstar?

Ein Sänger, eine Sängerin?
Ein Sportler, eine Sportlerin?

Was gefällt dir an deinem Liebling?
Was magst du? Was findest du toll?

Schreib es uns. Die besten Einsendungen werden prämiert.
Der erste Preis:
ein Tag mit deinem Superstar

Lektion 20

Fußball

1 Bekannte Fußballvereine

FC Bayern
München

Turbine Potsdam
(Frauen)

FC Basel

Austria Wien

HSV
Hamburger
Sportverein

W   N   E   I

	1	2	3	4
Lösung:	?	?	?	?

a) Ordne den Symbolen die Trikots zu.

b) Hör zu, lies mit und antworte. (L20/1)

1 Welcher Spieler gehört zum FC Bayern?
2 Welche Farben hat der FC Basel?
3 Welches Trikot hat Turbine Potsdam?

4 Welche Farbe hat das Trikot von Austria Wien?
5 Welcher Verein hat die Farben Rot und Blau?

c) Frag deinen Partner.

Welchen Spieler / Welche Spielerin / Welche Mannschaft kennst du?

Welcher Spieler / Welche Spielerin gefällt dir?
Welche Mannschaften sind bei euch bekannt?
Welche Spieler findest du sympathisch?

Nominativ		Akkusativ	
Welcher Spieler ist das?	– Der Spieler ...	Welchen Spieler kennst du?	– Den Spieler ...
Welches Trikot ist das?	– Das Trikot ...	Welches Trikot kennst du?	– Das Trikot ...
Welche Spielerin ist das?	– Die Spielerin ...	Welche Spielerin kennst du?	– Die Spielerin ...
Welche Farben sind das?	– Die Farben ...	Welche Farben kennst du?	– Die Farben von ...

2 Sport und Sportler

Warte mal, Ailton! Ich muss dir noch was sagen.

Nur schnell weg hier!

Na, komm! – Noch ein kleines Stückchen näher!

a) Was können diese Sportler noch sagen? Schreib auf.

b) Frag deinen Partner.

Welchen Sport findest du am interessantesten?

Welches Bild findest du am lustigsten?

Welcher Sportler gefällt dir am besten?

Welche Sportlerin magst du am liebsten?

Welches Mannschaftsspiel findest du am besten?

...?

3 Ratespiel: Welcher Sportler ist das?

a) Beschreibe einen Sportler / eine Sportlerin von Übung 2. Dein Partner muss raten.

Er/Sie ist sehr groß/klein/...
Seine/Ihre Haare sind blond/schwarz/...
Welcher Sportler / Welche Sportlerin ist das?
Welchen Sport macht er/sie?

b) Schneidet aus Zeitungen Bilder von Sportlern aus und macht eine Collage.
Macht das Ratespiel in der Klasse.

4 Extrablatt

Strategie

Lies die Fragen, bevor du den Text zum zweiten Mal liest.

Planet

Schülerzeitung der RS Taufkirchen

Extrablatt

Liebe Mitschülerinnen und Mitschüler, endlich ist es so weit: Das Fußballturnier findet statt!

Im Halbfinale hat unsere Mannschaft gegen Unterhaching gespielt. Alle haben geglaubt, die Hauptschule Unterhaching ist stärker als wir. Aber unsere Mannschaft war genauso gut wie die Unterhachinger.

Am Schluss hatte sie auch noch ein bisschen Glück: Moritz Wahl, unser Torwart, hat einen gefährlichen Schuss gehalten. Er ist einfach super. Und Sebastian Grothe, unser bester Stürmer, hat nach Zuspiel von Paula Richter in der letzten Minute noch ein Tor geschossen. Und so hat unsere Mannschaft den Einzug ins Finale geschafft!

Und hier sind die Ergebnisse auf einen Blick:

Viertelfinale:
Realschule Taufkirchen – Hauptschule Straßlach   3 : 2
Realschule Otterfing – Hauptschule Unterhaching   1 : 3
Gymnasium Pullach – Realschule Sauerlach   0 : 2
Hauptschule Grafing – Realschule Holzkirchen   2 : 0

Halbfinale:
RS Taufkirchen – HS Unterhaching   2 : 1
RS Sauerlach – HS Grafing   1 : 2

Beantworte die Fragen.

1 Wie heißt der Torwart?

2 Welches Mädchen hat mitgespielt?

3 Wer hat das Tor zum 2:1 geschossen?

4 Wer hat genauso gut gespielt wie die Realschule Taufkirchen?

5 Wer hat genauso schlecht gespielt wie das Gymnasium Pullach?

6 Wer war besser als die Realschule Sauerlach?

7 Wer spielt im Finale?

Unsere Mannschaft war genauso gut wie die HS Unterhaching.

Die RS Holzkirchen hat genauso schlecht gespielt wie das Gymnasium Pullach.

genauso gut/schlecht/...   **wie**

besser/schlechter/...   **als**

---

5 Spiel: „Schwarzer Peter"

Macht Spielkarten, mindestens 12 Paare. Und dazu die Karte „Schwarzer Peter".

| Ein Ferrari ist genauso schnell | wie ein Maserati. | Ein Basketballspieler ist größer | als ein Jockey. |

Spielt in kleinen Gruppen.

6 Fußballstars von morgen

Jugendarbeit beim FC Bayern München

1 Am Anfang von erfolgreicher Jugendarbeit steht immer das Sichten von talentierten Spielern, das sogenannte Scouting. Die Jugendtrainer sehen sich zahlreiche Fußball-
5 spiele an. Durch das permanente Sichten bekommen die Trainer viele Namen von guten Spielern. Diese Spieler werden dann weiter beobachtet. Die besten werden zum Probe-training zum FC Bayern eingeladen und viel-leicht ins Junior-Team aufgenommen. 10
Aber der Eintritt ins Junior-Team ist erst der Anfang. Die Ausbildung geht dann erst richtig los.
Nach jeder Saison entscheiden die Trainer, wer in die nächsthöhere Altersgruppe kommt. 15

a) **Lies den Titel. Worum geht es in dem Text?**

b) **Wie steht es im Text? Nenne die Zeile.**

1 Die besten Spieler kommen ins Junior-Team. Zeile 10
2 Die Trainer besuchen viele Spiele und finden so gute Spieler. Zeile ?
3 Besonders gute Spieler dürfen am Probetraining teilnehmen. Zeile ?
4 Nicht alle kommen in die nächste Gruppe. Zeile ?

c) **Gibt es bei euch Sportvereine mit Jugendgruppen?**

Bist du in einem Sportverein? Spielst du Fußball oder einen anderen Mannschaftssport?

7 Ein Unfall in der Pause

a) **Hör zu und schau das Bild an.**

b) **Stell Fragen:**
Wer? Wann? Wo? Was passiert?

c) **Hör noch einmal zu.
Wie ist der Unfall passiert?
Ordne die Sätze.**

A Basti hat zu Paula gesehen.

B Basti und Moritz haben Tischtennis gespielt.

C Er ist an den Tisch gestoßen und hingefallen.

D Da hat Paula gerufen.

E Deshalb hat er den Ball nicht mehr bekommen.

F Es war Pause.

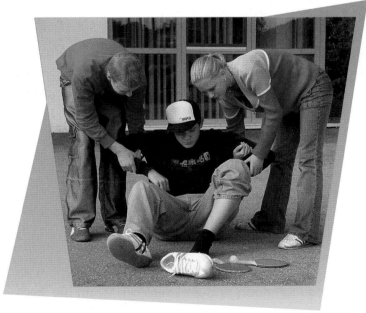

1	2	3	4	5	6
?	?	?	?	?	?

Lösung:

 8 Im Krankenhaus

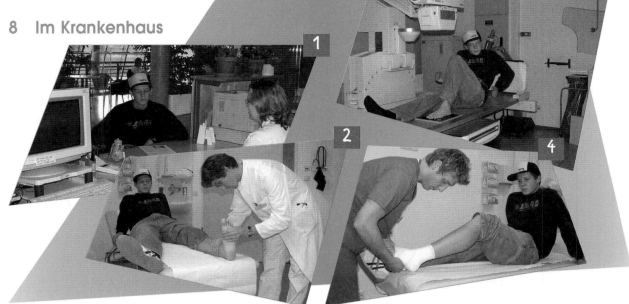

A ▲ Ich muss dich jetzt untersuchen.
   Tut es hier weh?
   ❏ Au!
   ▲ Aha! Na, mal sehen.

B ◆ Wir müssen deinen Fuß röntgen.
   Leg den Fuß hierher. So ist es gut.
   Einen Moment. – Fertig!

C ▲ Dein Fuß ist zum Glück nicht gebrochen.
   ❏ Was ist es dann?
   ▲ Du hast eine Zerrung. Du bekommst
     einen Verband und ...
   ❏ Muss ich hier bleiben?
   ▲ Nein, du darfst nachher wieder nach Hause.
     Aber du musst eine Woche liegen.
   ❏ So ein Mist!

D ▮ Ich brauche deinen Familiennamen,
   den Vornamen und deine Adresse.
   Und natürlich deine Telefonnummer.
   Wir müssen ja deine Eltern anrufen.

   a) **Ordne den Text. Die Bilder**
      helfen dir.
      Hör den Text zur Kontrolle.

   b) **Wer spricht?** Krankenschwester, ...

L20/3

 9 Telefongespräche

L20/4

✳ Andreas Volkert ...
❏ Hallo, Andi. Hier ist Basti.
✳ Hallo, Basti. Na, was gibt's?
❏ Ich bin im Krankenhaus.
✳ Im Krankenhaus? Warum denn?

❏ Ich habe mich verletzt.
✳ Wie bitte? Warum?
❏ Weil ich mich verletzt habe.
✳ O je! Gute Besserung.

Basti ruft noch andere Leute an. Mach die Telefongespräche.

seine Freundin Tina Altmann   Ich bin im Pausenhof hingefallen.
seinen Cousin   Manuel Grothe   Ich bin gestürzt.

Warum bist du im Krankenhaus? Ich habe mich verletzt.

Weil ich mich verletzt habe.

Ich bin im Krankenhaus, **weil** ich mich verletzt habe.

Tipp!
Nehmt die Dialoge auf.
Achtet auf Aussprache
und Intonation.

10 Frage-Antwort-Spiel

**Warum-Fragen und Weil-Antworten auf verschiedene Karten schreiben.
Alle Warum-Karten sammeln und mischen, ebenso alle Weil-Karten.**

Warum hast du eine Sechs in Latein?

Weil es heute heiß ist.

Karte ziehen und Frage lesen   Karte ziehen und Antwort lesen

11 Ein Brief

**Basti schreibt seinem Onkel einen Brief und erzählt von dem Unfall. Schreib den Brief.
Lies in Übung 7 und 8 nach. Denk an Ort, Datum, Anrede und die Grüße zum Schluss!**

12 Das Endspiel – eine Reportage

a) **Hör zu und achte auf die Geräusche. Worum geht es?**

L20/5

b) **Stellt Fragen mit dem Fragewürfel: *Wer? Wie? Wann? Was? Warum?* und ? (= Satzfrage)**

13 Ein Interview

1 Wo hat Benny Fußball spielen gelernt?

2 Wie alt ist Benny?

3 Wie lange ist er schon Profi?

4 Wo wohnen Benny Lauths Eltern?

*kicken = Fußball spielen

INTERVIEW   **Benny Lauth**

Bravo Sport: Benny, wann hast du mit dem Fußballspielen angefangen?

Benny Lauth: Ich hab das Kicken* auf der Straße gelernt. Jeden Tag nach der Schule haben wir vor unserem Haus in Fischbachau über zwei Stunden gespielt. Meine ersten Volltreffer waren das Garagentor und der Gartenzaun.

Bravo Sport: Reizt es dich manchmal, einfach wieder auf einem Dorfplatz zu kicken?

Benny Lauth: Klar! Ich besuche meine Eltern oft. Und wenn ich die Jungs an der Ecke spielen sehe, will ich schon manchmal einfach mitspielen.

Steckbrief
Benny Lauth:
GEBOREN: am 4. August 1981 in Hausham
GRÖSSE: 1,79 m
GEWICHT: 74 kg
FUSSBALLER SEIT: 1992 bei 1860 München
PROFI SEIT: 2001
seit 2004 beim Hamburger SV

Das kann ich schon:

Sätze und Wörter:

• über das Befinden sprechen	Wie geht es dir? – Mir geht es gut/schlecht. – Geht's dir nicht gut? – Ich bin krank/erkältet. / Ich habe Fieber/Husten/ Schnupfen/eine Grippe. / Mir ist heiß/kalt/schlecht. / Ich habe mich verletzt. Was tut dir denn weh? / Tut/Tun dein/deine ... weh? – Mir tut alles weh. / Mein/Meine ... tut/tun weh. – Gute Besserung!
• Personen beschreiben	Er/Sie ist groß/klein/schlank/... – Seine/Ihre Haare sind blond/...
• persönliche Angaben	Mein Familienname/Vorname / meine Adresse / meine Telefonnummer ist ...
• Körperteile	Kopf, Mund, Zahn, Hals, Rücken, Oberkörper, Arm, Finger, Bauch, Po, Bein, Knie, Fuß, Zeh, Haar, Ohr, Gesicht, Auge, Nase, Schulter, Brust, Hand

GRAMMATIK

1. Personalpronomen im Dativ

Wie geht es **dir**?   –   **Mir** geht es schlecht. **Mir** tut alles weh.

Kann ich **dir** helfen?   –   Ja, helfen Sie **mir** bitte.

2. Possessivartikel im Nominativ und im Akkusativ

Singular	**Nominativ**				**Akkusativ**		
	Maskulinum	Neutrum	Femininum		Maskulinum	Neutrum	Femininum
Das ist	sein Mund	sein Mund	ihr Mund	Ich mag	sein**en** Mund	sein**en** Mund	ihr**en** Mund
	sein Knie	sein Knie	ihr Knie		sein Knie	sein Knie	ihr Knie
	sein**e** Nase	sein**e** Nase	ihr**e** Nase		sein**e** Nase	sein**e** Nase	ihr**e** Nase

Plural	**Nominativ**				**Akkusativ**		
Das sind	sein**e** Haare	sein**e** Haare	ihr**e** Haare	Ich mag	sein**e** Haare	sein**e** Haare	ihr**e** Haare

3. Fragepronomen im Nominativ und im Akkusativ

	Nominativ	**Akkusativ**
Maskulinum	Welch**er** Spieler ist das?	Welch**en** Spieler kennst du?
Neutrum	Welch**es** Trikot ist das?	Welch**es** Trikot kennst du?
Femininum	Welch**e** Spielerin ist das?	Welch**e** Spielerin kennst du?
Plural	Welch**e** Farben sind das?	Welch**e** Farben kennst du?

4. Nebensatz mit *weil*

Warum bist du im Krankenhaus? Ich **habe** mich verletzt.

Weil ich mich verletzt **habe** .

Ich bin im Krankenhaus, **weil** ich mich verletzt habe.

5. Vergleiche

Ein Ferrari ist **genauso schnell wie** ein Maserati.   Ein Auto ist **schneller als** ein Fahrrad.

1 Lesen

A Ferien auf dem Reiterhof Mochowsee

Der familiäre Reiterhof liegt im schönen Spreewald, ca. 80 km von Berlin entfernt. Hier leben 18 Pferde, vom Pony bis zum Großpferd sind alle vertreten. Zwölf bis fünfzehn Mädchen können hier ihre Ferien verbringen und erhalten bei Vollpension zwei Reitstunden täglich. Weiterhin stehen Wanderritte, Reiterspiele, Nachtwanderungen und vieles mehr auf dem Programm.

Die Woche kostet in den Sommerferien 235,– €, sonstige Ferien 220,– €.

Adresse:
Reiterhof Herms,
Dorfstraße 15,
15913 Mochow,
Tel. 035478/356
Saison/Öffnungs-
zeiten: ganzjährig,
von 7.30
bis 20.00 Uhr

B Sandboarden auf dem Monte Kaolino

Der Monte Kaolino in der Oberpfalz ist kein natürlicher Berg, sondern er kommt von den Kaolin-Werken in der Nähe. Der Kaolin-sand, der nicht gut genug zur Porzellan-herstellung ist, wird hier abgelagert. Der Haufen wurde im Laufe der Jahre größer und schließlich ein Berg. Er ist nicht sehr hoch, aber man kann mit Schi oder Board hinunterfahren. Mit normalem Snowboarden kann man Sand-boarden nicht vergleichen. Wenn du stürzt, hast du den Sand überall.

Übernachtungsmöglichkeit auf dem Campingplatz, Tel. 09622/2446

C Sommerrodelbahn Wasserkuppe

Wer glaubt, dass Schlittenfahren viel Schnee und eisige Kälte braucht, der täuscht sich.
Auf der Sommerrodel-bahn auf der Wasser-kuppe in der Rhön kann man unabhängig vom

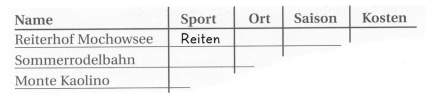

Wetter vom Berg ins Tal rutschen. Dabei kann man selbst bestimmen, wie schnell man die 750 Meter lange Strecke zurücklegt.

Adresse: Sommerrodelbahn Wasserkuppe, Josef Wiegand, Tel. 06651/9800
Saison/Öffnungszeiten: April bis Oktober, täglich 10 – 17 Uhr
Eintritt: Erwachsene 2,– € ,
Kinder bis 14 Jahre 1,50 €

Strategie

Stell zu ähnlichen Texten die gleichen Fragen: Was passiert? Wo? Wann? Das erleichtert das Vergleichen von Informationen.

a) Was passt zu Text A, B oder C? Vorsicht! Zwei Sätze sind falsch!

1 Dort kann man im Sommer Schi fahren.
2 Die Sportanlage ist in einem Wald.
3 Zwölf bis fünfzehn Jungen können dort Ferien machen.
4 Die Bahn kann man langsamer oder schneller hinunterfahren.
5 Sandboarden ist genauso wie Snowboarden.

b) Mach die Liste fertig.

Name	Sport	Ort	Saison	Kosten
Reiterhof Mochowsee	Reiten			
Sommerrodelbahn				
Monte Kaolino				

2 Landeskunde

2.1 Jugendsport in Deutschland

a) Schau die Statistik an.
Stell deinem Partner Fragen.

Welcher Sport ist bei Jungen/
Mädchen am beliebtesten?

Wie viele Jungen/Mädchen gehen
in Deutschland in einen Fußball-
verein/Turnverein/Reitverein/Tennisclub?

Gehen mehr Jungen oder mehr Mädchen in einen Fußballverein/Turnverein/...?

Welche Sportart ist beliebter als Tennis/Reiten/Volleyball...?

...

b) Welcher Sport ist bei euch am beliebtesten? Welche Sportvereine gibt es bei euch?

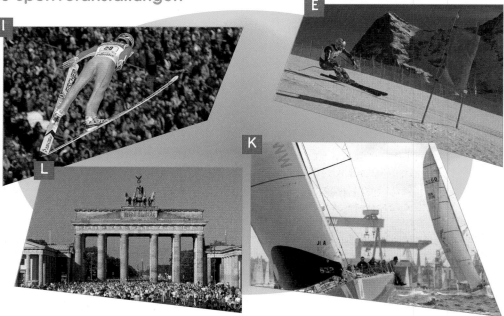

Sportliche Jugend — *Zahl der Vereinsmitglieder in 1 000*

15 bis 18 Jahre

Jungen:
Fußball 484
115 Tennis
84 Turnen
73 Tischtennis
67 Schützen

Mädchen:
Turnen 186
Fußball 110
Tennis 78
Reiten 78
Volleyball 51

Quelle: Deutscher Sportbund
dpa—
Grafik 2856

 ## 2.2 Berühmte Sportveranstaltungen

1
Kiel liegt an
der Ostsee.
Jedes Jahr im
Sommer gibt
es dort einen
großen Segel-
wettbewerb,
die Kieler
Woche.

2
Bei der
Vierschanzen-
Tournee fliegen die
Schispringer von der
Berg-Isel-Schanze in
Innsbruck bis zu 120
Meter weit.

3
In Wengen in der Schweiz gibt es
keine Autos. Nur eine Bahn führt in
den Ort auf 1277 Meter Höhe. Dort
findet jedes Jahr das berühmte
Lauberhorn-Schirennen statt.

4
Beim Berlin-Marathon laufen
jedes Jahr fast 40 000 Leute
mit. Die Strecke führt mitten
durch das Stadtzentrum.

Was passt zusammen?

Einen Segelwettbewerb gibt es in

Lösung:

1	2	3	4
?	?	?	?

Zum Schluss

3 Gemeinschaftsarbeit – „Sportstern"

Für den "Sportstern" braucht ihr eine Wandtafel oder ein großes Plakat.

Schreibt Sportarten und Namen, klebt Bilder und Zeitungsartikel zu den Sportarten.
Der Stern wird immer größer.

4 Wiederholung

a) Mach die Geschichte richtig.
Zu schwer? Dann helfen dir die Wörter unten.

Schi-Wandertag

Heute ist der 26. Januar. Es ist Sommer, und es ist heiß. Die Andreas-Hofer-Schule in Innsbruck hat Schi-Wandertag.
Um halb sieben schläft Roland ein und geht ins Bad. Er duscht und putzt seine Schuhe. Zum Frühstück kocht er zwei Brötchen mit Butter und Honig und trinkt Marmelade. Dann zieht er seine Badehose an, seinen Pulli und seine Turnschuhe.
Er nimmt Rollschuhe für die Hände mit und eine Mütze für den Hals, weil es drinnen so kalt ist. Dann vergisst er seine Schier und geht in die Küche. Da warten schon sein Sportlehrer und seine Klasse.

Handschuhe – Kopf – essen – aufstehen – Winter – Schihose – Zähne putzen – Stiefel/Schistiefel – nehmen/holen – kalt – Schule – draußen – Milch/Tee/...

b) Am nächsten Tag schreibt Roland seinem Brieffreund Niko einen Brief.

> Lieber Niko,
> gestern hatten wir Schi-Wandertag. Um halb sieben bin ich ...

Schreib den Brief. Vergiss nicht Ort und Datum und die Grüße am Schluss.

c) Auch Julia war am Schi-Wandertag dabei. Beschreib ihren Morgen. Schreib so:
Gestern, am 26. Januar, hatte die Andreas-Hofer-Schule Schi-Wandertag. Es war Winter, und es ...   Um halb sieben ist Julia ...

Du kannst auch andere Wörter verwenden: Pulli → Jacke, Brötchen → ...

5 Lernen

5.1 Wörterkasten und Sprachheft

a) Wörterkasten
Führ den Wörterkasten weiter: Titelkarten „Umgebung", „Im Haus", „Körperteile".
Schau im Buch bei „Das kann ich schon" nach.

b) Sprachheft
Mach weitere Seiten im Sprachheft: Titel „das eigene Befinden",
„Personen beschreiben", „Tätigkeiten im Haus" ,
„sich orientieren", „Sportarten", ...
Schau im Buch bei „Das kann ich schon" nach.

5.2 Gruppengespräch

Schreibt Karten.

**Eine Karte ziehen und einen
Mitschüler in der Gruppe fragen.**

Beispiel „Sportarten":

▲ Welchen Sport machst du?
❑ Ich spiele Fußball.
▲ Wie oft spielst du?
❑ ...

Beispiel „Schmerzen":

✳ Hast du Schmerzen?
◆ Ja.
✳ Was tut dir denn weh?
◆ ...

5.3 Lernkarte „sein – ihr"

- Einen weißen Papierstreifen 10 cm lang und 3 cm breit schneiden.
- Drei Papierstreifen 6 cm lang und 3 cm breit schneiden,
  je einmal blau, grün und rot, und so beschriften: sein sein ihr
- Vier Papierstreifen, 4 cm lang und 3 cm breit schneiden,
  je einmal blau, grün, rot und gelb, und so beschriften: ☐ ☐ -e -e
- Die langen Streifen hintereinander legen und links
  auf den weißen Streifen klammern.
- Die kurzen Streifen hintereinander legen und rechts auf den weißen Streifen klammern.

So kannst du üben:
Stell dir einen „Besitzer" vor, zum Beispiel Hund, Meerschweinchen, Katze, ...
und etwas, was dem Besitzer gehört: Bauch, Gesicht, Nase, Ohren, ...
Schlag deine Lernkarte auf. Beispiel: Hund → sein -e ← Nase

Meerschweinchen → sein ☐ ← Bauch
Mach Sätze: Mein Hund ist nett, aber sein e Nase ist zu dick.
Mach auch eine Lernkarte für den Akkusativ: sein sein ihr -en ☐ -e -e
Mach Sätze: Ich mag mein Meerschweinchen, aber ich finde sein en Bauch zu dick.

einkaufen

essen

So ist es bei uns!

Schule und Freizeit

Das lernst du:

- jemanden einladen
- über Essgewohnheiten sprechen
- Vorlieben beim Essen ausdrücken
- im Restaurant bestellen
- über Unterrichtsfächer sprechen
- Tagesablauf
- eine Meinung äußern
- Informationen über Personen vergleichen
- einen Vorschlag machen
- eine Verabredung treffen
- einen Weg erfragen und beschreiben

- was man beim Einkaufen sagt
- etwas über Hobbys
- etwas über Berufe
- Namen von Familienmitgliedern
- deutsches Essen
- Räume in der Schule
- Gebäude in der Stadt
- Verkehrsmittel

Unser Gast

1 Herzlich willkommen!

L21/1

a) Hör zu und schau die Bilder an.

b) Hör noch einmal zu. Lies die Sätze. Was ist richtig? Was ist falsch?

1 Luca macht in Köln Ferien.
2 Der Sohn heißt Jessica.
3 Die Tochter ist sechs.
4 Lucas Oma ist Deutsche.
5 Jessy geht noch in den Kindergarten.
6 Familie Pilz hat vier Kinder.
7 Jessy hat einen Hamster und eine Maus.
8 Luca hat ein Geschenk mitgebracht.

2 Das bin ich!

Ich heiße Luca Mattivi. Ich bin vierzehn Jahre alt und komme aus Verona. Zurzeit habe ich Ferien. Die darf ich bei David in Köln verbringen. Ich habe David über das Internet kennengelernt. Wir haben uns oft gemailt, und dann hat er mich eingeladen. Meine Eltern sind froh darüber, denn mein Deutsch muss besser werden, sagt meine Mutter. Ich kann schon ganz gut Deutsch. Meine Großmutter ist nämlich aus Deutschland. Sie spricht immer deutsch mit ihren Enkeln, und meine Mutter spricht auch deutsch mit mir. Mein Großvater ist Italiener und mein Vater natürlich auch. Leider haben wir keine Verwandten mehr in Deutschland. Aber in Australien! Mein Onkel Marco hat eine Australierin geheiratet, und jetzt leben sie dort. Ich war auch schon mal da. Meine Kusine hat nämlich geheiratet, und wir waren zur Hochzeit eingeladen. Das war toll! Aber jetzt bin ich froh, dass ich in Deutschland bin.

a) **Beantworte die Fragen.**

1 Woher kommt Luca?
2 Wer sind die Enkel?
3 Warum spricht Luca gut deutsch?

4 Wie viele Verwandte hat Luca in Deutschland?
5 Wer lebt in Australien?
6 Warum war Luca in Australien?

b) **Mach weitere Fragen für deinen Partner.**

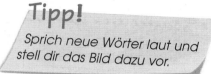

Tipp!
Sprich neue Wörter laut und stell dir das Bild dazu vor.

3 Essen in Deutschland

a) **Hör zu, zeig mit und sprich nach.**

b) **Welche deutschen Speisen kennst du?**

 L21/2

4 Einladung

Du möchtest deine Freunde zu einem deutschen Essen einladen. Schreib eine Einladungskarte. Schreib auch, was es zu essen gibt.

Liebe/r ...
Ich möchte dich/euch
zu ... einladen.
Kannst du / Könnt ihr
am ... um ...
kommen?
Es gibt ...

5 Lauter Laute

a) **Hör zu, lies mit und sprich nach.** Achte auf d – t, g – k, b – p.

die Tomate , die Torte
Gurke – Kuchen, Gemüse – Knödel,
Bratwurst – Paprika, Bohnen – Pommes frites, Blumenkohl – Pudding

b) **Hör genau.** Was ist falsch? 1, 2, 3, 4 oder 5?

Tipp!
Die Form des Artikels hängt vom Verb ab. Üb immer im ganzen Satz.

6 Ach, Jessy!

✳ Was macht denn das Meerschweinchen hier?
Tiere gehören doch nicht an den Tisch. – Jetzt aber weg hier!

▲ Jessy, wo ist denn dein Salat? Du weißt doch, Salat ist gesund!

● Ich weiß. Deshalb habe ich ihn auch dem Meerschweinchen gegeben.

a) **Und auch so:**

der Hamster	→	dem Hamster	Spinat
das Meerschweinchen	→	dem Meerschweinchen	Gemüse
die Katze	→	der Katze	Tomate
die Tiere	→	den Tieren	Karotten

b) **Hör die Dialoge zur Kontrolle.**

Nominativ	**Dativ**
Hier ist **der** Hamster.	Ich habe mein Essen **dem** Hamster gegeben.
Hier ist **das** Meerschweinchen.	Ich habe mein Essen **dem** Meerschweinchen gegeben.
Hier ist **die** Katze.	Ich habe mein Essen **der** Katze gegeben.
Hier sind **die** Tiere.	Ich habe mein Essen **den** Tieren gegeben.

7 Wie ist das bei euch?

✳ Gibt es bei euch eigentlich nie deutsches Essen?
Esst ihr nie Würstchen mit Sauerkraut zum Beispiel?

▲ Deutsches Essen? Bei uns? Nein, das essen wir fast nie.

✳ Und warum nicht? Schmeckt euch das nicht?

▲ Doch, uns schon, also Mama und mir,
aber dem Papa nicht.

Und auch so:

Frikadellen mit Bratkartoffeln	Opa
Schweinebraten mit Knödel	Oma
Spinat mit Kartoffeln und Ei	Großeltern

Esst ihr nie deutsches Essen?
Schmeckt **euch** das nicht?

Das essen wir fast nie.
Das schmeckt **uns** nicht.

Was gibt es bei **euch**?
Bei **uns** gibt es ...

8 Partnersuche

**a) Sammelt an der Tafel Speisen.
Achtung! Sie müssen zusammenpassen:**
Hähnchen mit Salat – Nudeln mit Soße – ...

b) Schreibt Karten.

Schnitzel

mit
Pommes frites

**c) Karten mischen und verteilen. Durch die
Klasse gehen und den Partner finden.
Welches Paar ist am schnellsten?**

Dann gemeinsam sagen:

Schnitzel mit Pommes frites schmeckt uns gut.

d) Partnerpaare stellen Fragen:

Schmecken euch
Nudeln mit Soße?

Nein, uns
schmeckt/schmecken
...

9 Aus dem Internet

**Das schreiben Austauschschüler
aus Italien über Essen in Deutschland:**

1 Zum Frühstück gibt es immer sehr
viel Verschiedenes. Teils hat uns das
Schwarzbrot ganz gut geschmeckt.
Aber wir sind nicht gewöhnt, dass
man Butter zu allem verwendet.

2 Zum Essen trinkt man nicht
nur Wasser. Jeder kann etwas
anderes trinken. Obst, das bei
uns in Italien nach dem Essen
kommt, gibt es wenig.

3 Beim Mittagessen kommt
alles auf einen Teller. Es
wird nicht nach einzelnen
Gängen getrennt.

4 Abends isst man
manchmal nur kalt:
Karotten, Paprika
oder Tomaten. Sie
sind aber nicht
richtig gekocht.
Das ist komisch.

a) Welche Aussage berichtet vom Frühstück, vom Mittagessen oder vom Abendessen?

b) Was hat den Schülern gut geschmeckt, was nicht so gut?

c) Was erfährst du über das Essen in Deutschland und über das Essen in Italien?

d) Vergleiche eure Essgewohnheiten mit denen in Deutschland.

10 E-Mail von Oma

**Schreib Lucas Mail.
Beantworte Omas Fragen.**

Schreib auch:

am Sonntag: einen Ausflug nach
Königswinter machen, mit dem Schiff
auf dem Rhein fahren und dann eine
Wanderung machen, später in ein Gasthaus gehen und etwas essen.

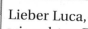

Lieber Luca,
wie geht es Dir? Bist Du gut angekommen?
Wie war die Zugfahrt? Wie ist Deine Gastfamilie?
Was macht ihr am Sonntag? Schreib mir bald!
Herzliche Grüße
Deine Oma

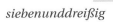

11 Speisekarte

Gasthaus
Zur schönen
Aussicht

Suppen
Nudelsuppe 2,20
Gulaschsuppe 2,50

Hauptgerichte
Zürcher Geschnetzeltes
   mit Reis 9,00
Frikadellen mit Bratkartoffeln
   und Leipziger Allerlei 7,50
Eisbein mit Sauerkraut
   und Salzkartoffeln 8,20
Schweinebraten mit Knödel
   und gemischtem Salat 8,50
Wiener Schnitzel mit
   Pommes frites und Salat 9,00
Berliner Eintopf 4,50

Fischgerichte
Bodenseerenke 9,50
Bremer (Fischfrikadellen) 5,20

Getränke
Mineralwasser, Glas 1,20
Bier 0,2 l 2,50
Mineralwasser, Flasche 2,00
Wein, rot oder weiß, 0,2 l 3,00
Apfelsaft 1,00
Cola oder Limonade 1,50

Salate
gemischter Salat 3,50
Salatplatte mit Ei
   und Schinken 5,20

Für den kleinen Hunger
ein Paar
   Frankfurter Würstchen
   mit Kartoffelsalat 4,00
Thüringer Bratwurst
   mit Sauerkraut 4,00
Toast Hawaii 3,80

Nachtisch
Pudding mit Sahne 1,80
Hamburger rote Grütze
   mit Vanillesoße 3,50
Vanilleeis mit
   heißer Schokolade 3,00
Tiroler Apfelstrudel
   mit Sahne 3,00

Und am Nachmittag
Kaffee und Kuchen
Tasse Kaffee oder Tee 1,60
Kännchen Kaffee oder Tee 2,50
Torte, ein Stück 2,30
Kuchen, ein Stück 1,90

a) Welche Gerichte kennst du?

b) Welche Speisen findest du auch in Übung 3?

c) Viele Gerichte kommen aus einer bestimmten Stadt oder Gegend. Schau auf der Landkarte nach.

12 Im Restaurant

L21/8

a) Hör den ersten Teil. Was kannst du schon verstehen?

b) Lies die Speisekarte von Übung 11. Hör noch einmal den ersten Teil. Welche Speisen hörst du? Zeig auf der Speisekarte mit.

L21/9

c) Hör den zweiten Teil. Was möchten die Leute essen? Was möchte Jessica trinken?

ein Glas Mineralwasser   eine Flasche Apfelsaft   eine Tasse Kaffee   einen Topf Suppe

13 Herr Ober!

* Herr Ober!
◆ Möchten Sie jetzt bestellen?
– Ja, bitte. Ich möchte/nehme ...
  (und dann ...)
◆ Also einmal/zweimal ... Und zum Trinken?
– Für mich / Für uns / Ich möchte ein Glas / eine Flasche / ...

a) Macht das Gespräch. Hört noch einmal den zweiten Teil von Übung 12.

b) Hört das Gespräch zur Kontrolle.

Das möchte ich. – Das ist für **mich**.	Das möchten wir. – Das ist für **uns**.
Das möchtest du. – Das ist für **dich**.	Das möchtet ihr. – Das ist für **euch**.

14 Rollenspiel

**Spielt eine Szene im Restaurant: ein Ober und mehrere Gäste.
Ihr könnt die Speisen selbst aussuchen oder erfinden.**

15 Das Essen kommt

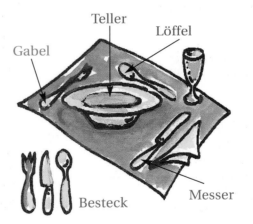

Teller
Löffel
Gabel
Besteck
Messer

◆   Wer hatte die ✳✳✳ ? Hier bitte, der Löffel.
     Vorsicht, der Teller ist heiß.
     Zweimal ✳✳✳ .
●/○ Hierher, bitte. Die sind für uns.
◆   Moment, ich bringe gleich das Besteck.
     Die ✳✳✳ ?
●   Mama, die ist für dich.
▲   Jessy, da kommen auch schon die ✳✳✳ .
◆   Und hier noch ein ✳✳✳ für den Herrn.
*   Herr Ober, noch eine Gabel für mich, bitte.
◆   Entschuldigung, die bringe ich gleich. Aber Messer sind alle da? Ach, Salz und Pfeffer
     fehlen noch. – Ist jetzt alles in Ordnung? Dann wünsche ich guten Appetit.
▲/* Guten Appetit.
●/○ Danke, gleichfalls.

Ergänze die Speisen. Hör den Dialog zur Kontrolle.

16 Witze

Tim isst sein Hähnchen mit den Händen. „Man nimmt das Messer in die rechte und die Gabel in die linke Hand", sagt Oma. „Und wie halte ich dann das Hähnchen?"

Klein-Udo steht vor einem Pizza-Stand und weint. Ein Mann fragt ihn: „Na, hast du kein Geld?" „Doch", weint Udo, „aber gar keinen Hunger!"

Gast:
„Was sagen Sie zu der Fliege in meiner Suppe?"
Ober:
„Was soll ich schon sagen? Sie versteht mich ja doch nicht!"

Besuch in der Schule

1 Pestalozzi-Schule

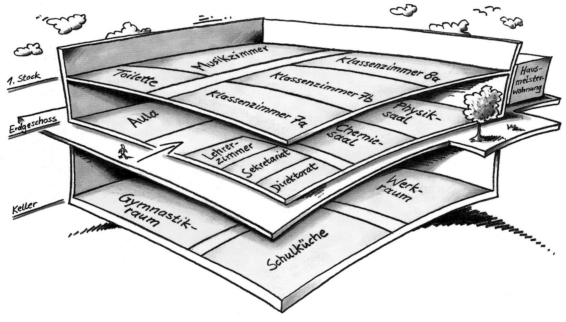

a) **Hör zu, zeig mit und sprich nach.**

b) **Wo sind die Räume? Hör zu. Richtig oder falsch? Verbessere laut.**

c) **Stell deinem Partner Fragen.**
   Wo ist/sind ...? – ... ist/sind im Keller/Erdgeschoss/rechts/...

d) **Wie ist das bei euch? Beschreibe.**
   Die Angaben können auch falsch sein. Dann müssen die anderen verbessern.

Tipp!
Hängt, wenn möglich, Zettel mit den deutschen Wörtern an die Räume in eurer Schule.

2 Lauter Laute

a) Hör zu, lies mit und sprich nach.
Physiksaal, Lehrerzimmer, Chemiesaal,
Wohnung, Biologie, Lehrer

b) Vokal + *h, ie* und *Doppel*vokal spricht man *lang*.
Lies laut. Hör zu. Richtig? Wiederhole.
See, Wiese, Boot, Haare, Zahn, Zähne, fahren,
doof, spielen, Frühstück, Papier, Zoo, Jahr, nie

L22/3
L22/4

3 Brief an eine Partnerklasse

Schreib einen Brief an eine Partnerklasse. Beschreib deine Schule und deine Klasse.
Wo ist die Schule? Wie sieht sie aus? Wo sind die Räume? ...
Vergiss nicht Ort, Datum, Anrede und Grüße zum Schluss.

4 Wo ist die 7b?

a) Hör zu. Welche Unterrichts-fächer erkennst du?

b) Hör noch einmal zu. Schau auf dem Plan nach. Welchen Weg geht Luca?

L22/5

5 Viele Fragen

1 Wie viele Fremdsprachen lernt ihr?

2 Lernt ihr auch etwas über Umweltschutz?

7 Wie sind eure Lehrer?

6 Wir haben drei Stunden Sport. Und ihr?

3 Bei uns gibt es im Februar und im Sommer Zeugnisse. Und bei euch?

4 Habt ihr auch sechs Noten, und 1 ist sehr gut?

5 Habt ihr auch zwei Wochen Weihnachts- und Osterferien?

a) Was antwortet Luca? Ordne die Antworten den Fragen zu.

N An Weihnachten, ja.
  An Ostern nur fünf Tage.
S Eigentlich ganz nett.
U Bei uns gibt es auch zweimal Zeugnisse.
E In Biologie und Erdkunde lernen
  wir etwas über die Umwelt.
I Nur zwei.

G Nein, bei uns sind die Noten ganz anders.
Z Meistens zwei. In der Grundschule
  vor allem Englisch und später Deutsch,
  Französisch oder Spanisch.

	1	2	3	4	5	6	7
Lösung:	?	?	?	?	?	?	?

b) Lies noch einmal die Fragen. Welche Informationen bekommst du über die deutsche Schule?

c) Wie ist es bei euch? Spielt die Situation in der Klasse. Stellt weitere Fragen.

L22/6

6 Vergesslich!

▲ Wem gehört denn die Brille da?

✳ Die gehört sicher dem Mathelehrer.

▲ Ach ja! Natürlich!

Und auch so:

die Tasche	der →	dem Hausmeister
die Jacke	das →	dem Mädchen da
das Notenbuch	die →	der Englischlehrerin
die Turnschuhe	die →	den Sportlehrern

Wem gehört die Brille?	– Dem Mann.	der – dem
Wem gehört das Spiel?	– Dem Kind.	das – dem
Wem gehört die Tasche?	– Der Frau.	die – der
Wem gehören die Autos?	– Den Lehrern.	die – den

7 Wem gehört das?

Stellt Fragen.
Wem gehört der Schi?
...

8 Schule in Deutschland und anderswo

Edit, Budapest, Ungarn
In Deutschland gefällt mir die Schule viel besser als zu Hause. Die Lehrer sind nicht so streng.

Ösgün, Ordo, Türkei
In der Türkei müssen wir alle die gleiche Schulkleidung tragen, einen Anzug mit Krawatte, schwarze Schuhe, graue Hose, weißes oder blaues Hemd, eine blaue Jacke. In Deutschland kann man anziehen, was man will.

Sumiaki, Tokio, Japan
Das, was die Lehrerin in Berlin uns gesagt hat, hat mich überrascht: Mehr als die Hälfte der Schüler sind Ausländer.

a) **Wer spricht von Lehrern, von Kleidung, von Ausländern?**

b) **Schreib einen Beitrag fürs Internet. Schreib so: Bei uns in ...**

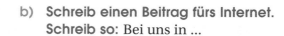

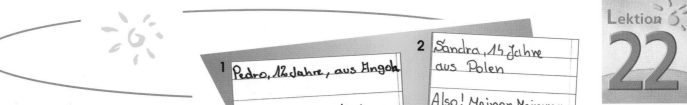

9 Ausländer in Deutschland

a) Notiere. Was gefällt den Schülern in Deutschland? Was gefällt ihnen nicht?

b) Was weißt du von Deutschland, Österreich oder der Schweiz? Was gefällt dir? Was nicht?

> **1** Pedro, 12 Jahre, aus Angola
>
> Deutschland gefällt mir, weil die Leute nett sind, nicht alle, aber die Mehrheit. Die Schule mag ich am liebsten, weil Schule meine Zukunft ist. Ohne Schule haben wir keine Zukunft.

> **2** Sandra, 14 Jahre aus Polen
>
> Also! Meiner Meinung nach sind die Sommerferien in Deutschland zu kurz. Aber mir gefällt, dass die Kinder viele Spielplätze haben und viel Zeit draußen in der frischen Luft verbringen können.

> **3** Duc Hoo, 14 Jahre, aus Vietnam
>
> Mir gefällt in Deutschland, dass viele Städte schön und die Häuser so groß und schön sind. Und der Verkehr ist gut, z.B. S-Bahn, U-Bahn und es gibt schöne Straßen. Das Wetter in Deutschland gefällt mir nicht.

10 Mein Tagesablauf

E

Um sechs Uhr stehe ich auf. Nach dem Frühstück ziehe ich mich an. Um 7.15 Uhr gehe ich aus dem Haus. Bis ein Uhr bin ich in der Schule. Dann gehe ich nach Hause und esse. Nach den Hausaufgaben gehe ich mit meinen Freunden auf den Spielplatz.

R

Ich stehe um 6.45 Uhr auf, frühstücke und gehe in die Schule. Nach dem Unterricht gehe ich nach Hause und esse. Nach dem Mittagessen mache ich Hausaufgaben. Dann treffe ich meine Freunde. Wenn das Wetter gut ist, spielen wir Fußball oder Basketball.

D

Ich stehe um 6.30 Uhr auf. Vor dem Frühstück gehe ich ins Bad, putze die Zähne und dusche. Vor der Schule lese ich noch ein Buch. Nach der Schule gehe ich nach Hause, dann esse ich. Um zwei Uhr mache ich meine Hausaufgaben. Danach spiele ich Fußball. Nach dem Abendessen gehe ich Fahrrad fahren oder sehe fern.

a) Lies noch einmal die Aussagen von Übung 9. Was passt zusammen?

Lösung:
WAS MACHST DU NACH

1	2	3
?	?	?

SCHULE?

b) Vergleiche. Was machen die Schüler vor der Schule und nach dem Unterricht?

Wann?			
vor **dem** Unterricht	vor **dem** Frühstück	vor **der** Schule	vor **den** Hausaufgaben
nach **dem** Unterricht	nach **dem** Frühstück	nach **der** Schule	nach **den** Hausaufgaben

11 Interview für die Schülerzeitung

L22/7

a) Hör das Interview. Vergleiche Lucas Morgen und Nachmittag in Deutschland und Italien.

b) Hör noch einmal zu. Ordne die Stichpunkte: nach dem Unterricht nach Hause gehen – nach dem Frühstück losgehen – um halb zehn ins Bett gehen – nach den Hausaufgaben Davids Freunde treffen – bis Mittag im Unterricht sein – vor dem Abendessen spielen

c) Schreib den Artikel. Stell zuerst Luca vor und beschreibe dann seinen Alltag in Deutschland. Schreib so: Wir haben einen italienischen Schüler zu Gast. Er heißt …

12 Ein internationales Schulfest

Die Eltern haben Essen mitgebracht. Ordne die Speisen zu.

1 die deutschen Eltern
2 die griechischen Eltern
3 die türkischen Eltern
4 die italienischen Eltern
5 die vietnamesischen Eltern

F Würstchen

S Köftes

I Souvlaki

H Frühlingsrollen

C Pizza

	1	2	3	4	5
Lösung:	?	?	?	?	?

L22/8

13 Lied: Wir sind international

1. Heute sind wir international.
   Jassu, jassu, kalimera.
   Wie bitte? Sag das noch mal.
   Jassu, jassu, kalimera.
   Die Sprache ist mir nicht bekannt.
   Das ist Griechisch! – Interessant.
   Jassu, jassu, kalimera.
   Das heißt „Hallo. Guten Tag."

2. Wie sagt man denn „Wie geht es dir?"
   „Ti kanis?", sage ich zu dir.
   „Kala", sagst du darauf zu mir.
   Und wenn man geht, was sagt man dann?
   „Addio." – „Addio?" Das ist leicht.
   Toll, wenn man Fremdsprachen kann.

a) **Hör zu und lies mit.**

L22/9

b) **Die Strophen kann man mit anderen Sprachen verändern. Hör zu.**

Italienisch: Ciao, buon giorno. – Come stai? / Bene. – Arrivederci.
Spanisch: Hóla, hóla, buenos días. – ¿Qué tal? / Muy bien. – Hasta luego.

L22/10

c) **Kannst du das Lied auch mit einer anderen Sprache singen?**

Das kann ich schon:

Sätze und Wörter:

- jemanden einladen
  Ich möchte dich zu ... einladen. Kannst du am ... um ... kommen?

- Vorlieben beim Essen ausdrücken
  Bei uns gibt es ... – ... schmeckt/schmecken mir/uns/dem ...

- im Restaurant bestellen
  Möchten Sie bestellen? – Ich möchte/ nehme ... – Einmal/Zweimal ...
  Und zum Trinken? – Für mich ...

- Familie
  Sohn, Tochter, Kind, Enkel, Großmutter, Großvater, Verwandte

- Essen in Deutschland
  Fleisch: Schweinebraten, Schnitzel, Frikadellen, Schinken, Hähnchen, Bratwurst
  Suppe, Soße, Fisch
  Gemüse: Erbsen, Karotten, Bohnen, Spinat, Sauerkraut, Blumenkohl
  Salat: Kartoffelsalat, Tomaten, Gurke, Paprika, Zwiebeln, Radieschen
  Beilagen: Kartoffeln, Bratkartoffeln, Pommes frites, Nudeln, Reis, Knödel
  Nachtisch: Kompott, Pudding, Quark, Kuchen, Torte, Sahne

- Räume in der Schule
  Klassenzimmer, Physiksaal, Musikzimmer, Lehrerzimmer, Aula, Toilette

- Tagesablauf
  vor/nach dem Frühstück / der Schule – um ... Uhr / bis ... Uhr –
  bis Mittag – am Nachmittag/Abend

GRAMMATIK

1. Dativ

a) Nomen

Nominativ	Dativ
Hier ist **der** Hamster.	Salat schmeckt **dem** Hamster.
Hier ist **das** Meerschweinchen.	Spinat schmeckt **dem** Meerschweinchen.
Hier ist **die** Katze.	Fleisch schmeckt **der** Katze.
Hier sind die Tiere.	Schokolade schmeckt den Tieren nicht.

b) Personalpronomen

Nominativ	Dativ	Akkusativ
Ich esse gerne Pizza.	Pizza schmeckt **mir**.	Die ist für **mich**.
Du magst gern Pizza.	Pizza schmeckt **dir**.	Die ist für **dich**.
Esst **ihr** nie deutsches Essen?	Schmeckt **euch** das nicht?	Das ist für **euch**.
Das essen **wir** fast nie.	Das schmeckt **uns** nicht.	Das ist für **uns**.

c) Fragepronomen

Wem gehört die Uhr?	– **Dem** Mann.	der	– dem
Wem gehört das Spiel?	– **Dem** Kind.	das	– dem
Wem gehört die Tasche?	– **Der** Frau.	die	– der
Wem gehören die Fahrräder?	– **Den** Schülern.	die	– den

2. Zeitangaben

vor **dem** Unterricht   nach **dem** Mittagessen   nach **der** Pause   nach **den** Hausaufgaben

vor/nach + Dativ

Freizeit für junge Leute

1 Talkshow

fünf
um
fünf

A

B

C

D

E

F

1 kochen	7 faulenzen	13 Flöte spielen	19 Basketball
2 backen	8 fotografieren	14 telefonieren	20 Drachen steigen lassen
3 surfen	9 basteln	15 Jogging	21 Theater spielen
4 reiten	10 wandern	16 zeichnen	22 auf Partys gehen
5 zaubern	11 singen	17 Tennis	23 Freunde treffen
6 angeln	12 rappen	18 Fußball	24 im Internet surfen

G

H

I

J

L23/1

a) **Hör zu und schau die Bilder an.**

b) **Lies die Hobbyliste.**
Hör zu. Welche Hobbys haben die jungen Leute? Nenne die Nummer.

c) **Lies noch einmal die Hobbyliste und schau die Bilder an. Was passt?**

Lösung:

A+	B+	C+	D+	E+	F+	G+	H+	I+	J	
?+	?+	?+	?+	?+	?+	?+	?+	?+	?	= 90

L23/2

d) **Hör zu, zeig mit und sprich nach.**

2 Ratespiel: Welches Hobby habe ich?

Das Hobby mit nur einer typischen Handbewegung darstellen.

raten

Tipp!
Gestik und Mimik helfen dir beim Behalten von neuen Wörtern.

3 Lauter Laute

a) Hör zu, sprich nach und klatsch mit. Achte auf die Betonung.

L23/3

b) Im Deutschen betont man die meisten Wörter auf der ersten Silbe: <u>ko</u>-chen, <u>bas</u>-teln
Die Verben auf *-ieren* betont man so: telefo-<u>nie</u>-ren
Lies laut. Hör zu. Richtig? Wiederhole.
telefonieren – angeln – faulenzen – arbeiten – backen – wandern – fotografieren

L23/4

4 Interessante Hobbys

A
Erfahrener Zirkusartist gibt Kurse im
Jonglieren.
immer Freitag, 16.00 Uhr in der Turnhalle des Sportvereins Köln-Deutz
15,– Euro pro Stunde

B
*für mutige Leute
für coole Typen*
Der *Bungee-Kran* ist wieder in Ihrer Stadt!
vom 28. 8. bis 30. 8. auf dem Jahn-Platz
einmal Bungee-Jumping nur 25,– Euro

C
Volkshochschule Bonn bietet an:
Anfängerkurs Modellbau Flugzeuge und Schiffe
acht Doppelstunden ab Montag, 31. 8., 17.00 Uhr im Dante-Gymnasium
Kursgebühr: 120,– Euro

1 Das habe ich schon einmal versucht. Das war so toll! Aber meine Eltern möchten nicht, dass ich es noch mal mache. Sie glauben, dass es zu gefährlich ist.

2 Ich habe es noch nie probiert. Aber ich bin gut in Handball und Kopfball. Da mache ich mit. Ich bin sicher, dass mir das Spaß macht.

3 Da möchte ich mitmachen. Ich bastle doch so gern. Aber mein Vater sagt, dass der Kurs zu teuer ist.

a) Lies die Anzeigen und Aussagen. Was passt zusammen?

1	2	3
?	?	?

Lösung:

b) Stell Fragen mit *Wann? Wo? Was kostet ...?*

c) Wo möchtest du teilnehmen? Und warum?

L23/5

| Der Kurs ist zu teuer. | Mein Vater sagt, **dass** der Kurs zu teuer ist. |
| Das macht mir Spaß. | Ich bin sicher, **dass** mir das Spaß macht. |

5 Meinungen

▲ Ich mache Bungee-Jumping.   ▲ Alle glauben , dass Bungee-Jumping gefährlich ist.
✳ Aber das ist doch gefährlich!   Aber das stimmt gar nicht.

a) Und auch so:

| Modellbau machen | langweilig | jonglieren | schwierig | meinen |
| Karate machen | gefährlich | surfen | schwer | sagen |

b) Mach weitere Dialoge mit den Hobbys von Übung 1.

6 Gruppengespräch mit Fragekarten

Wer ?   Was?   Wohin ?   Wie oft?

Wo?   Wann ?   Warum?   Wie lange ?

a) In Gruppen Fragekarten schreiben:

b) Fragekarte ziehen und eine Frage zum Thema „Freizeit" stellen, z.B.:

Warum ?

Warum backst du eine Torte?

Wie oft ?

Wie oft spielst du Flöte?

Frage beantworten:

Weil mir das Spaß macht.

Jeden Tag.

7 David und seine Freunde

Vorname	**David**	**Mehmet**	**Iwona**	**Denis**
Familienname	Pilz	Tekin	Wajda	Wagner
Alter	dreizehn	vierzehn	zwölf	dreizehn
Herkunft	Deutschland	Türkei	Polen	Deutschland
Wohnort	Köln	Köln	Frechen	Bonn
Adresse	Friesenplatz 8	Hansaring 9	Sternengasse 5	Nordstraße 20
Telefonnummer	0221/845446	0221/111531	02234/56932	0228/772981
Geschwister	eine Schwester	zwei Brüder	ein Bruder	zwei Schwestern
Hobby	Theaterspielen	Fußball	Singen	Computern
Haustiere	Katze, Hund	keine	Hund	Ratte
Lieblingsessen	Spaghetti	Pizza	Salat	Hamburger
Berufswunsch	Tierarzt	Sportlehrer	Sängerin	Informatiker

a) **Hör zu. Wer spricht? Gib die Reihenfolge an:** Nummer 1 ist ...

L23/6

b) **Hör noch einmal genau zu. Ergänze die Sätze.**

1 Mein Lieblingshobby ist natürlich Fußballspielen. Trotzdem möchte ich nicht ...
2 Ich singe gern, und ich finde, ich singe gut. Deshalb möchte ich auch ...
3 Computern ist mein Lieblingshobby. Deshalb ...
4 In meiner Freizeit spiele ich auch Theater. Trotzdem ...
5 Ich möchte kranken Tieren helfen. Deshalb ...

c) **Frag deinen Partner:** Wie heißt ... mit Familiennamen? Wie alt ... ? Woher ... ? Wo ... ?
Wie ist ... ? Wie viele Geschwister ... ? Welches ... ? Was ... ? Was möchte ... werden?

d) **Beschreib Davids Freunde. Schreib so:**
Mehmet Tekin ist ... Jahre alt. Er kommt ...

e) **Beschreib deinen besten Freund /
deinen beste Freundin.**

Ich singe gern.	→	**Deshalb** möchte ich Sängerin werden.
Ich spiele gern Theater.	→	**Trotzdem** möchte ich nicht Schauspieler werden.

8 Hobby und Beruf

kochen	Koch/Köchin	Fußball spielen	Fußballspieler/in
backen	Bäcker/Bäckerin	Theater spielen	Schauspieler/in – Filmstar
malen	Maler/in	Geschichten schreiben	Journalist/in
singen	Sänger/in	reisen	Steward/ess

a) **Sprich so:** Ich ... gern ... Deshalb möchte ich ...
Mein Lieblingshobby ist ... Trotzdem ... nicht ...

b) **Stell Fragen:** Was möchtest du mal
werden? Du ... doch gern. Möchtest
du mal ... ?

9 Was machen wir am Samstag?

A **Große Abendfahrt auf dem Rhein – jeden Samstag**
Ein toller Abend mit Live-Musik und Diskothek
erwartet Sie an Bord
20.00 - 23.00 Uhr Bordfest

C **Dom-Brauhaus 20.00 Uhr**
Hochzeit auf Rheinisch
Bill Mokkrigde inszeniert das Stück
als Mitmachtheater, bei dem die
Zuschauer schon am Eingang zu
Familienangehörigen werden.

D **Basketball**
Deutschland – Italien
Köln-Arena
Beginn 15.00 Uhr

E 11.00 bis 21.00
„So bunt wie die Welt"
Unter diesem Motto steht das große
Stadtteilfest in Chorweiler.
Für Jung und Alt gibt es ein buntes Programm,
Speisen aus vielen Ländern und einen Flohmarkt.

B 10.00 bis 14.00
Kölner Spiele-Zirkus
Einradfahren für Anfänger und
Fortgeschrittene

a) **Unter welchem Titel findest du die
Anzeigen im Veranstaltungskalender?**

1 Musik   3 Theater   5 Sonstiges
2 Sport   4 Märkte

1	2	3	4	5
?	?	?	?	?

Lösung:

b) **Stell deinem Partner Fragen:**
Wann? Wo? Was?

c) **Wo möchtest du mitmachen?
Und warum?**

In der Stadt unterwegs

1 Postkarte aus Köln

Grüße aus Köln

a) **Schau die Bilder an und lies die Aussagen. Was passt zusammen?**

H
Also, einen Spaziergang in der Altstadt müssen wir machen! Die ist im Zentrum, direkt am Rhein.

I
Köln ist eine sehr alte Stadt. Hast du Interesse an Geschichte? Dann können wir nämlich ins Römisch-Germanische Museum gehen.

N
Möchtest du einmal in den Zoo gehen? Viele Leute sagen, dass unser Zoo der schönste in ganz Deutschland ist.

R
Natürlich müssen wir den Kölner Dom besichtigen. Er ist circa 700 Jahre alt und 157 Meter hoch. Und er ist in der ganzen Welt bekannt.

E
Der Rhein ist der längste Fluss in Deutschland. Da machen wir mal eine Fahrt mit dem Schiff.

b) **Welche Sehenswürdigkeiten gibt es in deiner Stadt / in deinem Ort? Was schlägst du einem Besucher vor? Sprich so:**

1	2	3	4	5
?	?	?	?	?

Lösung:

Bei uns gibt es / Wir haben ... Da machen/gehen wir mal ...
Möchtest du einmal ... ? Machst du gern ... / Hast du Interesse an ... ? Dann können wir ...
Natürlich müssen wir ... Vielleicht können wir mal ...

2 Postkarte an die Eltern

Schreib Lucas Postkarte weiter.
Lies noch einmal die Aussagen
von Übung 1.

Liebe Mama,
lieber Papa,

ich schreibe euch heute
auf Deutsch!
Köln ist sehr interessant.
Wir gehen ...

Familie

Giorgio Mattivi

Via Conventino 3

I - 37121 Verona

3 Stadtplan von Köln-Rodenkirchen

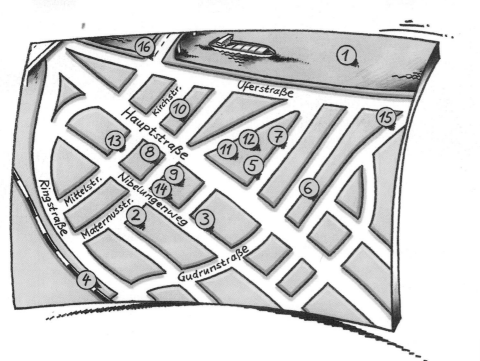

1 Fluss
2 Markt
3 Supermarkt
4 Bahnhof
5 Rathaus
6 Kino
7 Eiscafé
8 Restaurant
9 Schreibwaren-
  geschäft
10 Kirche
11 Post
12 Apotheke
13 Bäckerei
14 Bank
15 Haltestelle
16 Brücke

Ampel

Kreuzung

a) Hör zu. Was müssen David und
Luca heute Nachmittag machen?

b) Hör noch einmal zu. Wohin gehen
David und Luca? Zeig mit.

c) Hör zu, zeig mit und sprich nach.

d) Mach die Sätze richtig.

1 Luca braucht ein ~~Rezept~~ für seine
   Postkarte.   *Briefmarke*

2 Die Mutter gibt David eine ~~Briefmarke~~   *Rezept*
   für Tabletten mit.   *Post*

3 Die Apotheke ist direkt bei der ~~Kirche~~.
         zwischen Ampel

4 An der ~~nächsten~~ Bäckerei gehen sie
   links. Da ist die ~~Ampel~~.
         Bächerei

5 Sie möchten zur Kreuzung. Sie gehen
   ~~geradeaus~~ und beim zweiten ~~Schreibwaren-~~   *nicht Kreuzung*
   ~~geschäft~~ rechts.

6 Bald sind sie am Markt. Da müssen sie ~~den~~   *die*
   ~~Briefumschlag~~ kaufen.   *Eiscafé*

7 Ein Eis bekommen sie im ~~Schreibwarengeschäft~~.

8 Zum Schluss möchten sie ~~Äpfel~~ essen.   *Eis*
   Sie gehen ins Eiscafé beim Rathaus.

e) Hör die Sätze zur Kontrolle.

Wir sind					
am	Fluss	am	Kino	an der	Ampel
beim	Markt	beim	Rathaus	bei der	Kreuzung
im	Supermarkt	im	Restaurant	in der	Kirche

4   Verabredung

Schreib die SMS richtig und antworte.

Kommst Du bald? Ich warte XXX Kreuzung.

Wir sind XXX Eiscafé XXX Sportplatz. Kommst Du?

Kennst Du das Musikgeschäft XXX der Kirche? Da sind wir.

Wir treffen uns um drei XXX Kino.

5   Wie komme ich zu ...?

▲ Entschuldigung, wie komme ich zur Brücke?

❏ Warte mal, wir sind jetzt hier am Bahnhof ... vom Bahnhof zur Brücke, hm. Also, du gehst hier links bis zur Mittelstraße; dann rechts, an der zweiten Kreuzung gehst du links und an der nächsten gleich wieder rechts.

▲ Danke.

a) **Mach weitere Dialoge:**
vom Markt zum Rathaus – vom Kino zur Apotheke – von der Kirche zum Supermarkt
Schau auf dem Stadtplan von Übung 3 nach.
Verwende diese Satzteile:
geradeaus / dann links / dann rechts
geradeaus bis zur nächsten Ampel / zur nächsten Kreuzung / bis zum Rathaus / ...
an der nächsten/ersten/zweiten/dritten/Ampel/Kreuzung links/rechts
beim Supermarkt / an der Post links/rechts

b) **Hör die Dialoge zur Kontrolle.**

Ich möchte					
vom	Markt	vom	Kino	von der	Apotheke
zum	Sportplatz	zum	Eiscafé	zur	Bäckerei

6   Wege

Hör zu und schau auf den Plan von Übung 3.
Beantworte die Fragen: Welchen Weg geht NN? – Er geht von ... zu ...

7   E-Mail

Du möchtest deinen Freund / deine Freundin im Eiscafé / am Kino / ... treffen. Erkläre den Weg von der Schule dorthin. Schreib eine E-Mail.

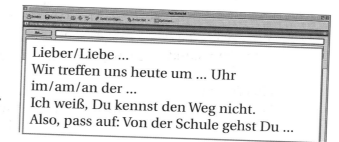

Lieber/Liebe ...
Wir treffen uns heute um ... Uhr im/am/an der ...
Ich weiß, Du kennst den Weg nicht.
Also, pass auf: Von der Schule gehst Du ...

8 Einkaufen

✳ Guten Tag.

▲ Guten Tag. Bitte sehr?

✳ Ich brauche Briefmarken für eine Postkarte nach Italien.

✳ Ich habe hier ein Rezept.

✳ Ich möchte ein Kilo Äpfel, bitte.

▲ Lass mal sehen. Aha, Halstabletten. Einen Moment.

▲ Welche denn? Die hier? Die kosten 1,50 das Kilo. Oder die? Die sind billiger.

▲ Hier bitte, die Tabletten. Das macht 5 Euro.

▲ Hier bitte. Italien und Deutschland ist gleich, 55 Cent.

✳ Und das Paket und das Päckchen, bitte.

✳ Die zu 1,50, bitte.

▲ Die Postkarte, ein Päckchen, das Paket ... Das macht zusammen 7,05 Euro.

▲ 20 Euro. – 15 Euro zurück. Herzlichen Dank.

▲ 1,50 Euro. Stimmt genau. Danke sehr.

▲ 7,05 Euro. Hast du vielleicht 5 Cent? Danke, und 3 Euro zurück.

✳ Danke. Auf Wiedersehen.

▲ Wiedersehen!

a) **David und Luca sind in der Post (A), in der Apotheke (B) und auf dem Markt (C). Die Gespräche sind durcheinander geraten. Mach die Gespräche A, B, C. Manche Aussagen passen zu allen drei Gesprächen.**

b) **Hör die Gespräche zur Kontrolle.**

L24/7

9 Wo liest man das?

D **Haben Sie Kopfschmerzen?** Dann hilft Ihnen sicher Kefalopirin, die zuverlässige Kopfschmerztablette

T **Schenken Sie Freude!** Schreiben Sie wieder mal einen Brief!

T **Billig! Billig! Billig!** Heute im Angebot österreichische Molkerei-Butter 250 g. nur 0,89 €

S **Bio-Tomaten** aus kontrolliertem Anbau direkt vom Bauern

A **Stündlich frische Brötchen** auch am Sonntag

a) **Wo findet man diese Anzeigen?**
1 auf dem Markt   2 im Supermarkt   3 in der Bäckerei   4 in der Apotheke   5 in der Post

b) **Stell Fragen.**
Wo gibt es ... ? Wo kann man ... ? Wo bekommt man ... ?
Wie ist ... ? Wann gibt es ...? Was kostet ... ?

Lösung:	1	2	3	4	5
IN DER	?	?	?	?	?

10 Mit der Stadtbahn ins Zentrum

D Du möchtest also allein ins Zentrum.

R Nein. Pass auf. Du nimmst die Stadtbahn, Linie 16.

T Ja, am Anfang. Später wird sie dann eine U-Bahn.

D Also, noch mal. Du fährst mit der Stadtbahn. Du steigst hier in Rodenkirchen ein, und am Hauptbahnhof steigst du wieder aus. Ganz einfach!

B Einkaufen? Am besten gehst du durch die Fußgängerzone zum Neumarkt. Da ist dann wieder die Linie 16.

H Ja, aber das dauert zu lang.

S Ist das eine Straßenbahn?

E Ja. Ich muss zum Bahnhof und möchte ein bisschen shoppen. Ist das schwierig?

T Aha. Und wo kann ich einkaufen?

A Ich verstehe, die fährt erst oben und dann unten.

N Na gut. Danke.

A Kann ich eigentlich auch mit dem Schiff fahren?

a) **Ordne die Sätze.**   Lösung: MIT

1	2	3		4	5	6	7	8	9	10	11	12
?	?	?		?	?	?	?	?	?	?	?	?

b) **Beantworte die Fragen.**

1 Wohin möchte Luca?

2 Wie kommt Luca zum Bahnhof?

3 Mit welcher Linie fährt er?

4 Warum fährt er nicht mit dem Schiff?

mit dem	mit dem	mit der
Bus	Schiff, Fahrrad	U-Bahn, S-Bahn, Stadtbahn
Zug	Auto, Taxi	Straßenbahn, Seilbahn, Linie
Motorroller	Motorrad, Moped	

11 So kann man in Köln fahren

a) **Mit welchen Verkehrsmitteln kann man in Köln fahren?**

b) **Wann fahren die Seilbahn und die Schiffe?**

12 Lauter Laute

a) **Hör zu und sprich nach.**
   Du schreibst *z*. Du sprichst *ts*.
    L24/8

b) **Hör genau. Was ist falsch?**
   1, 2, 3, 4 oder 5?
    L24/9

c) **Lies laut. Hör zu. Richtig? Wiederhole. Vom Zoo zum Zirkus sind es zehn Minuten.**
   Wir gehen zusammen im Zentrum spazieren.
    L24/10

13 Im Kaufhaus

L24/11

a) **Hör zu. Such die Abteilungen im Bild.**

b) **Hör noch einmal zu. Worum geht es in den Durchsagen?**
   A Essen
   B Musik
   C Kleidung

   Lösung:

1	2	3
?	?	?

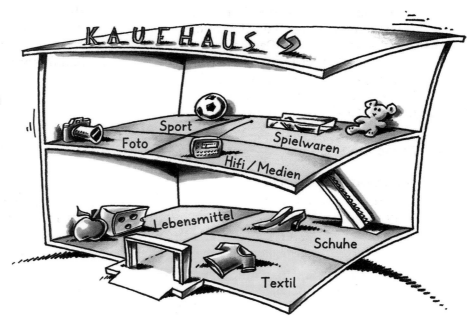

c) **Lies die Fragen. Hör noch einmal genau zu. Mach Notizen.**
   1 Wer gibt eine Autogrammstunde?
   2 Was kostet der Schinken?
   3 Welche Kleidungsstücke sind neu angekommen?

d) **Schau das Bild an. In welchen Abteilungen findest du diese Sachen?**
   Stiefel, CD-Player, Schlittschuhe, Fernseher, CD-ROM, Jeans, Fisch, Fotoapparat, Ball

14 E-Mail an Oma

Ergänze die E-Mail.
Zu schwer?
Diese Wörter
helfen dir.

in – in – im –
in der – Am – am –
um – vom – vom –
mit der – für

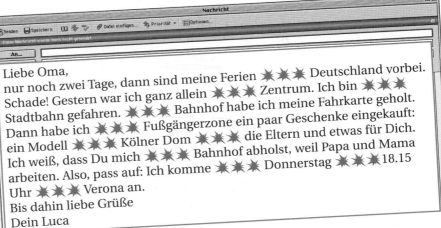

Liebe Oma,
nur noch zwei Tage, dann sind meine Ferien ✱✱✱ Deutschland vorbei.
Schade! Gestern war ich ganz allein ✱✱✱ Zentrum. Ich bin ✱✱✱
Stadtbahn gefahren. ✱✱✱ Bahnhof habe ich meine Fahrkarte geholt.
Dann habe ich ✱✱✱ Fußgängerzone ein paar Geschenke eingekauft:
ein Modell ✱✱✱ Kölner Dom ✱✱✱ die Eltern und etwas für Dich.
Ich weiß, dass Du mich ✱✱✱ Bahnhof abholst, weil Papa und Mama
arbeiten. Also, pass auf: Ich komme ✱✱✱ Donnerstag ✱✱✱ 18.15
Uhr ✱✱✱ Verona an.
Bis dahin liebe Grüße
Dein Luca

Das kann ich schon:

Sätze und Wörter:

- **eine Meinung äußern** — Ich glaube/meine/bin sicher, dass ... – Aber das ist doch ... ! – Das stimmt nicht.

- **Informationen über Personen** — Er/Sie heißt mit Familiennamen ... – Er/Sie hat ... Geschwister. – Sein/Ihr Lieblingsessen ist ... – Er/Sie möchte ... werden.

- **etwas über Berufe** — Was möchtest du mal werden? – Ich möchte ... werden. Koch/Köchin, Bäcker/in, Maler/in, Sänger/in, Steward/ess, Fußballspieler/in, Schauspieler/in, Filmstar, Journalist/in

- **einen Vorschlag machen** — Bei uns gibt es ... Da machen/gehen wir mal ... – Möchtest du einmal ... ? – Hast du Interesse an ... ? Dann können wir ... – Natürlich müssen wir ... – Vielleicht können wir mal ...

- **eine Verabredung treffen** — Ich warte an/bei ... – Wir treffen uns um ... an/bei ... Kennst du ... ? Da sind wir.

- **einen Weg beschreiben** — Entschuldigung, wie komme ich zu ... ? – geradeaus, hier links/rechts – bis zur nächsten Ampel/Kreuzung – an der ersten/zweiten/... Ampel/Kreuzung links/rechts

- **was man beim Einkaufen sagt** — Ich möchte/brauche ... – Das macht ... – Stimmt genau.

- **etwas über Hobbys** — backen, zaubern, angeln, faulenzen, basteln, wandern, rappen, Flöte spielen, Jogging, Drachen steigen lassen

- **Gebäude in der Stadt** — Markt, Supermarkt, Rathaus, Restaurant, Schreibwarengeschäft, Kirche, Post, Apotheke, Bäckerei, Bank, Haltestelle

- **Verkehrsmittel** — Bus, Zug, Auto, Fahrrad, Schiff, Taxi, Motorrad, Moped, U-Bahn, Straßenbahn, S-Bahn, Seilbahn

GRAMMATIK

1. Satz

a) Nebensatz

Der Kurs ist zu teuer	Mein Vater sagt,	dass der Kurs zu teuer ist.
Modellbau ist langweilig.	Alle glauben,	dass Modellbau langweilig ist.
Er macht Karate.	Wir möchten nicht, dass er Karate macht.	

b) Hauptsatz mit deshalb – trotzdem

Ich koche gern.		Ich möchte Köchin werden.
Ich koche gern.	**Deshalb**	möchte ich Köchin werden.
Ich singe gern.		Ich möchte nicht Sängerin werden.
Ich singe gern.	**Trotzdem**	möchte ich nicht Sängerin werden.

2. Dativ bei Orts- und Modalangaben

am/beim/im vom ... zum	am/beim/im vom ... zum	an der / bei der / in der von der ... zur		mit dem Bus	mit dem Schiff	mit der U-Bahn
Supermarkt	Rathaus	Post				
Bahnhof	Kino	Bank				

 Strategie

Fasse jeden Abschnitt in einem Satz
zusammen. So konzentrierst du dich
auf die wichtigsten Informationen.

1 Lesen

Umziehen, Sportstunde in der 7f. Aber irgendetwas stimmt nicht. Der Lehrer ruft, die Schüler tragen eilig die Tore auf den Platz, sie wollen anfangen. Keiner trödelt, niemand hat seinen Turnbeutel vergessen, keiner sitzt am Rand mit einem Entschuldigungsschreiben der Eltern. „Wer Ball und Trikot hat, kommt her!", ruft der Lehrer.

„Dribbeln! Jonglieren! Nur rechter Fuß! Nur linker Fuß!" Alles in einem eng abgesteckten Feld, alle auf einem Haufen. Spätestens jetzt wäre in einer gewöhnlichen Schulklasse das Chaos ausgebrochen. Aber die 7f des Theodolinden-Gymnasiums ist keine gewöhnliche Schulklasse. Das f steht für Fußball. Das Münchner Gymnasium ist eine sogenannte Partnerschule des Leistungs-

sports. Seit 1999 werden Klassen angeboten, in denen die Schüler am Vormittag zusätzlichen Fußball-Unterricht bekommen – um den normalen Lehrplan zu erfüllen, müssen sie nachmittags wieder in die Schule. Danach zum Vereinstraining. Die 7f hat dreimal pro Woche zwei zusätzliche Schulstunden, die meisten Spieler trainieren noch dreimal pro Woche im Verein.

„Andere Schüler haben mehr Freizeit", hat Marco Gebhard, 12, festgestellt. Aber das stört ihn nicht: „In der Freizeit würde ich auch Fußball spielen." Er kickt beim SC Bogenhausen, im Gymnasium ist er mit Spielern des FC Bayern und des TSV 1860 in einer Klasse. „Der Sportunterricht macht Spaß, weil alle gut sind", meint er. „In meiner alten Schule waren im Sport viele Schlechtere, Mädchen und so."

a) Welcher Titel passt zu dem Text?

    1 Fußball und Leistungssport   2 Fußball auf dem Stundenplan   3 Fußballvereine in München

b) Welche Antwort ist richtig?

1 Wer hat die Sportsachen vergessen?
    a Alle.
    b Niemand.
    c Die Eltern.

2 Was heißt das "f" in Klasse 7f?
    a Für Schüler
    b FC Bayern
    c Fußball

3 Wann ist der Fußball-Unterricht?
    a Nachmittags.
    b Vormittags.
    c In der Freizeit.

4 Wie oft trainieren die Schüler?
    a Dreimal pro Woche.
    b Jeden Vormittag.
    c Jeden Nachmittag.

5 Haben die Schüler viel Freizeit?
    a Ja, mehr als andere.
    b Ja, mehr als Marco.
    c Nein, weniger als andere.

6 Warum macht der Sportunterricht Spaß?
    a Weil kein Schüler schlecht ist.
    b Weil alle schlecht sind.
    c Weil Mädchen mitspielen.

Lösung:

1	2	3	4	5	6
?	?	?	?	?	?

2 Landeskunde

2.1 Der Kölner Karneval

A Wer hat es schon so gut: In Köln gibt es neben den gewöhnlichen vier Jahreszeiten eine fünfte Jahreszeit: den Karneval, zwischen Neujahr und Aschermittwoch. Mit der „Weiberfastnacht" am Donnerstag vor Rosenmontag wird auf dem „Alter Markt" der Straßenkarneval eröffnet. Die Männer müssen gut aufpassen, denn die Frauen dürfen ihnen an diesem Tag die Krawatten abschneiden.

B Wenn am Sonntag darauf die Umzüge der Schulen und Stadtviertel durch Köln gehen, ist das ein Fest für Hunderttausende.

C Und Millionen erleben die Triumphfahrt von „Prinz", „Bauer" und „Jungfrau" im Rosenmontagszug. Daneben gibt es viele Wagen, Großfiguren, zahlreiche Musikkapellen und viele verkleidete Leute in bunten Kostümen, die zu Fuß teilnehmen.

a) Ordne die Textabschnitte den Fotos zu.

Lösung:

1	2	3
?	?	?

b) An welchem Tag im Kölner Karneval möchtest du dabei sein?

c) Kennst du noch andere Orte, wo man Karneval feiert? Gibt es bei euch auch Karneval?

2.2 Landeskunde-Quiz: Typisch deutsch?

Was ist richtig? Schreib die Buchstaben auf.

1. In Deutschland gibt es viele Haustiere. Allein in Berlin leben
  J 95.000 Hunde.
  T 102.000 Hunde.
  L 75.500 Hunde.

2. Die Deutschen sortieren ihren Müll. Es gibt Müll-Container
  Y für Glas, Papier, Plastik und Aluminium.
  Ö für Obst, Gemüse, Reis und Nudeln.
  A für Teller, Messer, Gabeln und Löffel.

3. In vielen Städten gibt es im Dezember
  B einen Ostermarkt.
  P einen Weihnachtsmarkt.
  R einen Wintermarkt.

4. Deutsche Autos sind weltbekannt. Die großen Fabriken stehen in
  Ü Stuttgart, München und Hamburg.
  I Stuttgart, München und Wolfsburg.
  U Stuttgart, Berlin und Hamburg.

5. Die Deutschen essen gern Spaghetti. Jeder Deutsche isst im Durchschnitt
  S 5,4 Kilogramm Nudeln im Jahr.
  F 4,5 Kilogramm Nudeln im Jahr.
  Z 3,4 Kilogramm Nudeln im Jahr.

6. Fast in jeder Stadt in Deutschland gibt es im Zentrum
  G eine Bushaltestelle.
  Q einen Park.
  C eine Fußgängerzone.

7. Die Deutschen sind Weltmeister im
  K Motorroller fahren.
  F Teetrinken.
  H Reisen.

Lösung:

1	2	3	4	5	6	7	
?	?	?	?	?	?	?	DEUTSCH

3 Gemeinschaftsarbeit – Plakat

a) Teilt ein Plakat in zwei Teile auf. Schreibt auf die linke Seite die richtigen Sätze von Übung 2.2. Vielleicht könnt ihr noch etwas ergänzen, zum Beispiel die Automarken. Sucht Bilder und Fotos und klebt sie dazu.

b) Ergänzt auf der rechten Seite die entsprechenden Informationen aus eurem Land.

4 Lernen

Arbeit mit dem Wörterbuch

a) Ordne diese Wörter nach dem ABC:
Wiese, Nase, Zimmer, Mund, Garten, Pinsel, Bett, Hals, Eis, Vogel, Lineal, See, Fenster, Auge, Kopf, Jacke, Ohr, Tafel, Uhr
Schau bei gleichen Anfangsbuchstaben den zweiten Buchstaben an:
sagen, Stunde, sehen, suchen, Sport, sie, Sonntag
Wenn die ersten und zweiten Buchstaben gleich sind, schau den dritten Buchstaben an: stehen, Stadt, Stuhl, Stiefel, Straße
Jetzt schau den vierten Buchstaben an: Schrank, schlank, schwer, Schule, schade, Schi, schon, Schere, schnell

b) Du findest nicht alle Wörter genau so im Wörterbuch. Diese Wörter kommen im Text von Übung 2.1 vor:

- *gewöhnlichen:* du findest *gewöhnlich.*
  Such bei Adjektiven immer die Grundform.

- *eröffnet:* du findest *eröffnen.*
  Such bei Verben immer den Infinitiv.

- *Umzüge:* du findest *Umzug.*
  Überlege bei Plural immer, wie der Singular heißt. Manche Wörterbücher geben den Plural an:
  Umzug (÷e)

Vorsicht: Manche Wörter haben mehrere Bedeutungen. Überlege, was in den Kontext passt.
Umzug → Festzug
Umzug → Wohnungswechsel

Tipp!
Bevor du Wörter aus einem Text im Wörterbuch nachschaust, überlege:
- Muss ich dieses Wort unbedingt verstehen? Verstehe ich den Text sonst nicht?
- Kann ich dieses Wort auch ohne Nachschauen verstehen?
- Kann ich das Wort im Kontext ungefähr verstehen?

c) Such diese Wörter aus dem Text von Übung 1 im Wörterbuch.
trödelt, umziehen, Haufen, stört, zusätzlichen, festgestellt

5 Wiederholung

5.1 Was sagt man da?

a) **Was sagt die farbige Person?**
    Schreib auf.

b) **Such dir ein Bild aus.**
    Schreib eine kleine Geschichte.

5.2 Janas Geburtstag

1 ✺✺ hat Jana Geburtstag? – Heute.
2 ✺✺ geht sie gleich nach der Schule?
   – Nach Hause.
3 ✺✺ steht eine Torte? – Auf dem Tisch.

4 ✺✺ ist unter dem Tisch? – Ein Hund.
5 ✺✺ ist er? – Klein und braun.
6 Und ✺✺ gehört der Hund? – Jana.

a) **Setz diese Wörter ein:** Wo – Wann – Was – Wem – Wohin – Wie

b) **Schreib die Geschichte auf. Schreib so:** Heute hat Jana ...

c) **Am nächsten Tag schreibt Jana ihrer Freundin Meike eine E-Mail.**
    Schreib die Mail: Liebe Meike, gestern war mein ...

Meine
Geschwister
und ich

Das lernst du:

- Gefühle äußern
- Vorliebe und Abneigung äußern
- in Konfliktsituationen reagieren
- eine Meinung äußern
- jemanden auffordern
- Gegenstände und Situationen beschreiben
- das eigene Zimmer beschreiben
- Räume der Wohnung
- Möbel und Einrichtungsgegenstände

Mit Geschwistern kann man reden, streiten, spielen, träumen ... Erzähl doch mal!

25 Immer Ärger mit der Schwester

1 Ein Brief

Hast du Sorgen?

Frag Juliane Maien!

Liebe Juliane,
ich habe ein Problem mit meiner Schwester. Sie heißt Susanne und ist nur ein Jahr jünger als ich. Bisher sind wir eigentlich ganz gut miteinander ausgekommen, aber jetzt gibt es richtig Ärger! Meine Schwester nimmt nämlich einfach meine Klamotten und zieht sie an. Und sie fragt nicht einmal!
Gestern zum Beispiel ist es wieder passiert: Vor zwei Tagen war ich in der Stadt. Ich hatte ziemlich viel gespart, mein ganzes Taschengeld von den letzten drei Monaten. Ich wollte richtig schön einkaufen. Ich habe auch ein paar tolle Sachen gefunden. Ich war so glücklich. Ich bin nach Hause gegangen und habe meine neuen Klamotten sofort meiner Schwester gezeigt. Normalerweise ist sie ziemlich neugierig, aber diesmal hat es sie gar nicht so interessiert. Ich war ein bisschen enttäuscht.
Das war vorgestern. Und gestern, am Samstag, war meine Schwester zu einer Party eingeladen. Ich wollte ihr noch viel Spaß wünschen. Da habe ich sie gesehen. Sie hatte meine neuen Sachen an, das tolle rote T-Shirt, die weiße Hose und sogar die neuen Schuhe! Ich war so sauer! Aber Susanne hat nur gesagt, ich soll doch ein bisschen toleranter sein.
Bin ich zu egoistisch? Ich möchte nicht, dass sie immer meine Klamotten anzieht. Ich finde das so frech. Was kann ich denn machen? Bitte, gib mir einen Rat.
(Veronika, Berlin, 15 Jahre)

a) Beantworte die Fragen.

1 Wer schreibt?

2 Warum schreibt sie?   a Weil sie viel Geld für Klamotten ausgegeben hat.
                         b Weil ihre Schwester ihre Klamotten anzieht.
                         c Weil ihre Klamotten ganz neu sind.

3 Sie möchte,   a dass ihre Schwester ihr Taschengeld spart.
                b dass ihre Schwester glücklich ist.
                c dass ihre Schwester nicht mehr ihre Sachen anzieht.

b) Juliane antwortet. Welche Antwort passt?

Text 1

Führe auf jeden Fall noch ein direktes Gespräch mit deiner Kollegin. Wenn sich dann nichts ändert, kannst du höflich deinen Chef bitten, dass er die Kollegin in einem anderen Büro der Firma einsetzt.

Text 2

Ihr beide seid wohl ziemlich verschieden. Aber du bist natürlich im Recht. Deine Schwester kann nicht einfach deine Sachen nehmen, wenn du nicht einverstanden bist. Sie muss damit aufhören. Darum rede noch einmal in Ruhe mit ihr. Mach ihr klar, wie du dich fühlst.

Text 3

Mädchen, sei einfach ehrlich. Erklär ihr, wie du dich fühlst. Geh zu ihr hin und sag ihr, wie leid es dir tut.

2 So war es im Kaufhaus.

* Die Hose da ist ja toll! Entschuldigung, was kostet denn die weiße Hose?

▲ 19 Euro.

* Haben Sie die auch in Größe 36?

▲ Ja klar.

* Kann ich sie mal probieren? –
Ich glaube, die nehme ich.

Und auch so:
der blaue Mantel – das rote T-Shirt – die bunte Bluse – die schwarzen Schuhe

Der Rock ist grau.	der graue Rock
Das Kleid ist gelb.	das gelbe Kleid
Die Jacke ist grün.	die grüne Jacke
Die Stiefel sind schwarz.	die schwarzen Stiefel

3 Das ist dann zu Hause passiert.

L25/2

* Ich sehe wohl nicht richtig. Was ist das denn?

▲ Warum?

* Na, hör mal! Wem gehört denn das rote T-Shirt? Dir oder mir?

▲ Dir natürlich.

* Und warum hast du es dann an?

▲ Nun hab dich nicht so!

a) Mach auch Dialoge mit den Sachen von Übung 2.

b) Mach weitere Dialoge mit anderen Kleidungsstücken und anderen Adjektiven.
lang, kurz, ...

der	Rock	das	Kleid	die	Jacke	die	Jeans
	Pulli		Hemd		Mütze		Ohrringe

 (Hier geht der Dialog anders!)

4 Lauter Laute

a) Hör zu, lies mit und sprich nach. *d* am Wortende sprichst du *t*.
Hemd, Kleid, Wald, Kind, Mund, blond, Schwimmbad, Bild

L25/3

b) *d* oder *t*? Hör zu und schreib mit.

L25/4

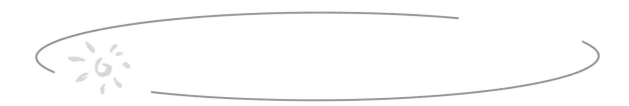

5 Was gefällt ihm? – Was gefällt ihr?

Schneidet Kleidungsstücke aus Illustrierten oder Katalogen aus und klebt sie auf ein Plakat. Sprecht darüber: Ich glaube, ... gefällt ihm/ihr/ihnen/Ihnen.
Jeder sucht sich „sein" Kleidungsstück aus, sagt das aber nicht laut.

Ich glaube, das bunte Hemd gefällt ihm.

Ich meine, der lange Schal gefällt ihr.

Die schwarzen Schuhe gefallen ihnen.

Nein, auf keinen Fall! Die weiße Bluse gefällt ihr.

Das glaube ich nicht, ...

Nein, die rote Jacke gefällt ihm.

Und was gefällt Ihnen, Frau Sommer?

Wie findet **er** die Jeans?	Die Jeans gefallen **ihm**.
Wie findet **sie** den Mantel?	Der Mantel gefällt **ihr**.
Wie finden **sie** die Schuhe?	Die Schuhe gefallen **ihnen**.
Wie finden **Sie** das Kleid?	Gefällt **Ihnen** das Kleid?

6 Wem gehören die Sachen?

Schau das Bild genau an. Wem gehören die Sachen? Sprich so: Das T-Shirt gehört ihr.

7 Streit oder nicht?

L25/6

a) Hör zu. Wie ist das Gespräch? Freundlich oder unfreundlich?

b) Beantworte die Fragen.

1 Was will Veronika machen?
2 Wer sagt: „Ich will aber nicht."

3 Wer sagt: „Wir wollen doch nicht streiten."?
4 Will Veronika ihrer Schwester nichts leihen?

ich	will	wir	wollen		Ich	will	aber nicht	gehen!
du	willst	ihr	wollt			**Modalverb**	**+**	**Infinitiv**
er/es/sie	will	sie/Sie	wollen					

c) Lies die Aussagen. Nun hör noch einmal zu.
Wie sprechen Veronika und Susanne?
Freundlich, nett, ruhig oder unfreundlich und aggressiv?

Strategie
Hör genau, wie die Leute sprechen. Das hilft dir beim Verstehen.

Veronika

Verstehst du denn nicht?
Wir müssen das besprechen.
Hör doch auf!
Lass mal!
Wir wollen doch nicht streiten.

Susanne

Das sehe ich gar nicht ein!
Lass mich doch in Ruhe!
Ich will aber nicht!
Sag das noch mal!
Das willst du wohl nicht hören!

8 Rollenspiel

Schreibt in Gruppen ein Streitgespräch. Verwendet die Aussagen von Aufgabe 7c.
Das ist die Situation:
Dein Bruder / Deine Schwester nimmt immer deine CDs und fragt dich nicht vorher.

9 Wohin gehen wir heute?

a) Stell deinem Partner Fragen. Wer? Was? Wann? Wo?
Dein Partner antwortet. Dann wechseln.

b) Was sagen die Personen?
Schreib auf.

10 Drei Veranstaltungen

1

Musik-Metropole Hamburg
KLASSIKTAGE
Bach: Brandenburgische Konzerte
Vivaldi: Vier Jahreszeiten
Mozart: Nachtmusiken
Beethoven: Sonaten

2

Tanzschule „Tango" bietet an:
TANZKURSE FÜR JUGENDLICHE
Standard, Lateinamerikanisch,
Salsa, Disco-Fox, Rock'n' Roll

3

MUSIK UND GUTE LAUNE
Strandparty
am Wannsee
mit
der Band
„BERLINER KINDER"

Samstag, 14. 07.
ab 14.00 Uhr

a) **Wie passen die Bilder von Übung 9 zu den Texten?**

b) **Ordne die Aussagen den Bildern zu:**

a Man kann mit einer Wollmütze nicht zu einer Strandparty gehen.

b Man kann in Shorts nicht zu einem Konzert gehen.

c Man kann mit Stiefeln nicht bei einem Tanzkurs mitmachen.

d Man kann in einem Pulli nicht an einer Strandparty teilnehmen.

c) **Was kann man deiner Meinung nach bei einer Strandparty tragen?**

Shorts – Bikini – Badehose – Sandalen – Schihose – Bademütze – Hut – T-Shirt – Pulli

Und bei einem Konzert?

Und bei einem Tanzkurs?

bei/zu/an einem Tanzkurs	bei/zu/an einem Konzert	bei/zu/an einer Party	bei/zu Freunden
mit einem Pulli	mit einem T-Shirt	mit einer Mütze	mit Stiefeln

11 Benimm-Regeln

Was darf/kann/muss man in bestimmten Situationen tragen/machen? Und was muss man / darf man nicht tragen/machen? Schreib „Benimm-Regeln" zu diesen Situationen:
Schuldisco, Sportfest, Rockkonzert, Schi-Wandertag, Abiturfeier
Schreib so: Bei/Zu/An einem/einer ...   kann/muss man ...
                darf man nicht ...
Du kannst auch witzige Regeln schreiben.

Tipp!
Stell W-Fragen zum Thema, bevor du einen Text schreibst.

12 Eine komische Situation

Schreib zu einem Bild von Übung 9 eine kleine Geschichte.
Wer sind die Personen? Wie ist es zu der Situation gekommen?
Wer hat da etwas verwechselt? Wie geht die Situation weiter?

MODE

13 Hitliste: Mode nach dem letzten Schrei?

Es gibt wohl kaum eine Klasse, die nicht darauf reagiert, wenn ein Mitschüler mit neuen Klamotten in die Schule kommt. Die Geschmäcker sind oft sehr verschieden. Wie sie über Mode denken, ob es immer der letzte Schrei sein muss oder eine bestimmte Marke, dazu haben Schülerinnen und Schüler der Klasse 8b der Philipp-Reis-Oberschule Hohenschönhausen folgende Meinung:

1 Das kommt auf die Schule und die Schüler an. Wer hört schon gern die Bemerkung: „Wie siehst du denn aus?" *Christina*

2 Mode nach dem letzten Schrei ist meistens ziemlich teuer. *Judith*

3 Ich kleide mich, wie ich will. *David*

4 Ich finde Mode schon wichtig, um Freunde zu bekommen und akzeptiert zu werden. *Sebastian*

5 Ich richte mich nicht danach, was andere sagen. *Anika*

6 Hauptsache, man hat was zum Anziehen und friert nicht. *Christian*

7 Nicht jeder kann in Markenklamotten rumlaufen. Manche Eltern sind arbeitslos. *Stefan*

8 Es gibt immer welche, die bestimmte Klamotten brauchen, damit sie im Mittelpunkt stehen. *Ulrike*

9 Der eigene Geschmack zählt. *Tanja*

a) **Wem ist Mode wichtig? (+) Nicht so wichtig? (−) Wer hat andere Argumente? (~)**

Lösung:

1	2	3	4	5	6	7	8	9
~	?	?	?	?	?	?	?	?

b) **Sammelt an der Tafel eure Argumente.**

für modische Kleidung.	gegen modische Kleidung.
Mode macht Freunde.	Der eigene Geschmack ist wichtig.
...	...

c) **Diskutiert in der Klasse:** Ich finde/meine, dass ... Meiner Meinung nach ...

14 Modenschau für Tiere

a) **Welchen Tieren gehören die Kleidungsstücke? Sprich so:** Das blaue Tuch gehört einem ...

b) **Wie findest du Mode für Tiere?**

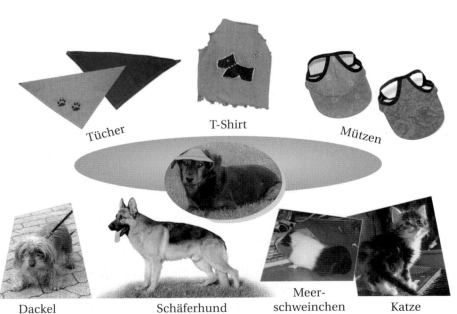

Tücher   T-Shirt   Mützen

Dackel   Schäferhund   Meerschweinchen   Katze

26 Was kommt heute im Fernsehen?

1 Fernsehprogramm

ARD	ZDF	RTL	SAT 1	VIVA
17.55 Frauen-Fußball Deutschland – Norwegen	**18.05 ZDF-Reportage** Dackel mit Zahnspange	**18.00 Guten Abend RTL** Regionales	**17.30 Star Trek** Unfall im Weltraum	**18.00 Interaktiv in School** Special aus Brandenburg
20.00 Tagesschau	**19.00 heute**	**18.30 Exclusiv** Das Star-Magazin	**18.30 Nachrichten mit Sport**	**19.00 Viva News**
20.15 Ich gehöre dir nach „Romeo und Julia auf dem Dorfe" von Gottfried Keller	**19.25 Alle meine Töchter**	**18.45 RTL aktuell**	**18.50 Blitz** Boulevard-magazin	**19.15 Euro-Charts**
	20.15 Das ZDF-Sommerhit-Festival	**19.10 Explosiv – Das Magazin**	**19.15 K11** Kommissare im Einsatz	**20.00 Travel Sick** Thailand
21.45 W wie Wissen Thema: Antike Olympioniken	**21.15 auslands-journal** Berichte aus dem Ausland	**19.40 Gute Zeiten, schlechte Zeiten** Hat Leon mich noch lieb?	**19.45 Die Quiz-Show**	**20.30 Crank Yankers** Puppentrick-Comedy
	21.45 heute journal	**20.15 Medicopter 117** Actionserie Jedes Leben zählt	**20.15 Wolffs Revier** Krimiserie	**21.00 Planet VIVA**
		22.15 Life! Die Lust zu leben – Life-style Promi-Klamotten	**21.15 Hausmeister Krause –** Ordnung muss sein	**22.00 South Park**
			21.45 Die dreisten Drei – die Comedy-WG	

Lies die Texte.
Zu welchen Sendungen im Programm passen sie?

A Globetrotter Grub Smith geht auf Abenteuersuche in Thailand. Dort putzt er, unter anderem, einem Krokodil die Zähne.

B Was die Medizin für den Menschen möglich macht, kann sie längst auch für die Tiere. Operationen, Herz-Schrittmacher oder eine Zahnspange für den Dackel. – Geld spielt da keine Rolle.

C Isabel ist total deprimiert. Sie weiß nicht, ob Leon noch in sie verliebt ist.

D Bauerntochter Vreni und der Nachbars-junge Sali sind ineinander verliebt. Doch bald gibt es Streit zwischen den beiden Familien, und sie verbieten die Liebe der jungen Leute.

E Ein Wachmann wird tot im Kofferraum eines Autos gefunden. Kommissar Wolff befragt den Unter-nehmer.

2 Verschiedene Programme

a) Lies die Texte von Übung 1. Zu welchem Programmtyp passen sie?

1 Sportsendung	8 Jugendsendung	15 Science-Fiction
2 Quizsendung	9 Dokumentarfilm	16 Comedy
3 Krimi	10 Musiksendung	17 Familienserie
4 Nachrichten	11 Show	18 Soap/Seifenoper
5 Magazin	12 Wissenschaftssendung	
6 Spielfilm/Fernsehfilm	13 Reportage	
7 Trickfilm	14 Tiersendung	

A	B	C	D	E
?	?	?	?	?

Lösung:

b) Such im Fernsehprogramm weitere Programmtypen. Beispiel:
„heute" ist eine Nachrichtensendung.

c) Wie heißen bei euch die Nachrichten-sendungen? Welche Familienserien, Sportsendungen, Quizsendungen, usw. gibt es?

3 Zappen

a) Hör zu. Welche Programme erkennst du?

b) Hör noch einmal zu. Schau im Fernsehprogramm nach. Welche Sendungen kommen vor?

L26/1

4 Was gibt es denn heute?

a) Hör zu. Wie reden die beiden Mädchen? Wer ist aggressiver? Wer ist ruhiger?

L26/2

b) Hör noch einmal zu. Wer sagt das?

> Wir wollen uns doch nicht streiten. Warum ärgerst du dich so?

> Ich ärgere mich furchtbar! Ich habe mich schon so gefreut, und jetzt ... ! Was ist eigentlich in der letzten Sendung passiert? Ich erinnere mich gar nicht.

c) Lies die Sätze. Was ist richtig? Was ist falsch?

1 Susanne freut sich, dass heute ein Basketballspiel kommt.
2 Die deutsche Frauen-Nationalmannschaft spielt gegen Nigeria.
3 Fußball bis acht Uhr und dann Thailand. „Das klappt ja prima", sagt Susanne.
4 Veronika ärgert sich, weil sie GZSZ nicht sehen kann.
5 Die beiden Mädchen streiten sich.

ich	ärgere	mich	wir	ärgern	uns
du	erinnerst	dich	ihr	ärgert	euch
er/es/sie	freut	sich	sie/Sie	freuen	sich

 5 Freude und Ärger

1	Ich ärgere ✳✳ immer,	R	wenn sie viele Hausaufgaben bekommen.
2	Susanne ärgert ✳✳ sehr,	G	wenn ihr abends lang fernsehen dürft?
3	Erinnerst du ✳✳ nicht,	P	wenn das Fernsehprogramm schlecht ist.
4	Freut ihr ✳✳,	A	weil er den Film schon dreimal gesehen hat.
5	Die Schüler ärgern ✳✳,	M	wenn Sie Ihre Schüler eine Woche nicht sehen.
6	Vater erinnert ✳✳ genau,	M	wenn wir gleichzeitig fernsehen wollen.
7	Wir streiten ✳✳ immer,	O	dass wir die Fernsehzeitung gekauft haben?
8	Herr Wolf, Sie freuen ✳✳ sicher,	R	wenn ihre Schwester GZSZ sehen möchte.

a) Lies die Satzteile auf der linken Seite und ergänze *mich, dich, ...*

b) Was passt zusammen?

1	2	3	4	5	6	7	8
?	?	?	?	?	?	?	?

Lösung:

Ich freue mich.	Ich darf lang fernsehen.	
Ich freue mich (immer),	**wenn** ich lang fernsehen darf.	..., **wenn** + Nebensatz
Er ärgert sich.	Das Programm ist schlecht.	
Er ärgert sich (immer),	**wenn** das Programm schlecht ist.	

 6 Wie ist das bei euch?

Wann ärgerst du dich? Wann freust du dich? Wann streitet ihr euch?
Sprecht in der Klasse darüber.   Ich ärgere mich, wenn ...   Wir streiten uns immer, wenn ...

 7 Verboten!

L26/3

❏ Also, Kinder, ich gehe jetzt.
▲ In Ordnung.
❏ Macht eure Hausaufgaben fertig.
● Ja, Mama.
❏ Susanne, lern deine Lateinvokabeln.
▲ Ja, Mama.
❏ Bleibt nicht so lange auf!
● Nein, Mama.
❏ Macht den Fernseher spätestens um halb zehn aus.
▲ Ja, Mama.
❏ Und seht euch nicht den Horrorfilm in RTL an! Der ist viel zu aufregend.
● Nein, Mama.
❏ Also dann, tschüs, ihr zwei.
●/▲ Tschüs, Mama.

▲ Endlich allein! Los, mach den Fernseher an!
● Mama hat gesagt, wir sollen zuerst unsere Hausaufgaben machen.
▲ Ich weiß.
● Und außerdem sollst du deine Lateinvokabeln lernen.
▲ Ich weiß, ich soll Vokabeln lernen. Aber ich möchte jetzt fernsehen.
● Denk dran, wir sollen den Fernseher ...
▲ ... um halb zehn ausmachen. Ich weiß! Los, jetzt fängt der Horrorfilm an. Der ist sicher spannend.
● Aber Mama hat doch gesagt, wir sollen uns den Horrorfilm nicht ansehen.
▲ Nun komm schon. Sei kein Spielverderber.
● Also gut.

a) Macht weitere Dialoge mit anderen Hausaufgaben und anderen Sendungen.

b) Spielt die Szene. Wie geht es wohl weiter?

ich	soll	wir	sollen	Mama hat gesagt, du	sollst	die Vokabeln	lernen.
du	sollst	ihr	sollt				
er/es/sie	soll	sie/Sie	sollen	Modalverb	+	Infinitiv	

8 Zettel

a) **Lies den Zettel. Was sollen die Mädchen machen? Sprich so:**
Sie sollen ...   Veronika soll ...

b) **Was sagt Veronika?**
Mama hat gesagt, ich ...
Susanne, du ...   Wir ...

Hallo, Kinder,
ich komme heute erst später nach Hause.
Esst die Würstchen und den Kartoffelsalat
und macht die Küche sauber!
Veronika, führ bitte noch den Hund aus!
Und du, Susanne, füttere den Papagei!
Und nicht vergessen: Geht nicht so spät ins Bett!
Küsschen eure Mama

c) **Schreib deinem Partner einen Zettel.**

Jan, mach meine Hausaufgaben! ...

Jan geht vor die Klasse und sagt:
Tina sagt, ich soll ihre Hausaufgaben machen.

9 Geschmackssache

a) **Hör zu und antworte laut.**

Kleider machen Top-Stars !

„Life" präsentiert:

Deutschlands Promis im Klamotten-Check. Thomas Gottschalk, der Moderator der Show „Wetten, dass ...?", gilt als Trendsetter.

Ich finde die schwarze Jacke scheußlich, total hässlich. Und du?

Ich finde den braunen Hut fantastisch, richtig witzig.

Ich finde die schwarzen Schuhe echt schrecklich. Und du?

Ich finde das weiße Hemd schick, echt elegant. Und du?

b) **Frag deinen Partner: Wie findest du die schwarze Jacke? usw.**
Verwende diese Wörter:

echt/total ...
+ toll, cool, super, schick, witzig, elegant, modern, fantastisch

echt/total ...
– hässlich, doof, komisch, scheußlich, furchtbar, schrecklich

Ich finde	den bunten	Rock	sehr modern.
	das gelbe	Hemd	
	die rote	Jacke	
	die blauen	Schuhe	

10 Kartenspiel: Quartett

**Macht Spielkarten.
Immer vier gleiche
Kleidungsstücke in
vier verschiedenen
Farben sind ein
Quartett.
Spielt in Gruppen.
Jeder Spieler
bekommt gleich
viele Karten.**

einen Mitspieler fragen und Quartette sammeln

Wer hat am Schluss die meisten Quartette?

11 Fernsehen und Gesundheit

a) **Lies zunächst nur den Titel.
Worum geht es in dem Text? Was glaubst du?**

Risiko-Programm

A
Wer als Kind häufig fernsieht, hat viel zu lange etwas davon. Schon jeden Tag zwei Stunden vor dem Fernseher erhöhen die Gesundheitsrisiken im späteren Leben dramatisch. Und immerhin sitzen Deutschlands 10- bis 15-Jährige täglich durchschnittlich 118 Minuten vor dem Fernseher.

B
Kinder vor dem Fernseher werden unsportlich und zu dick, weil sie dabei oft noch gedankenlos Chips und Softdrinks zu sich nehmen.

C
Wie sich das aber auf ihr späteres Leben auswirkt, zeigt nun eine Langzeitstudie aus Neuseeland: Circa 1000 Kinder wurden von der Geburt an

überwacht. Dabei wurden die Eltern – und später die Jugendlichen selbst – nach ihrem Fernsehkonsum befragt. Nach 26 Jahren folgte der große Gesundheitscheck. Die Vielseher haben bei fast allen Tests erschreckend schlecht abgeschnitten.
Weniger als eine Stunde Fernsehen pro Tag wäre zu wünschen, sagen die Forscher.

b) **Zu welchen Abschnitten passen die Überschriften?**

1 Ergebnis einer Studie aus Neuseeland
2 Essen beim Fernsehen
3 So viel sehen deutsche Jugendliche fern

1	2	3
?	?	?

Lösung:

c) **Beantworte die Fragen.**

1 Wie lang sehen deutsche Jugendliche durchschnittlich jeden Tag fern?
2 Wie werden Kinder, die zu lange fernsehen?
3 Warum ist zu viel Fernsehen für Kinder schädlich?

4 Wie lang hat die Studie gedauert?
5 Was passiert, wenn man als Kind zu viel fernsieht?
6 Wie lang sollen Kinder höchstens fernsehen?

Das kann ich schon:

Sätze und Wörter:

- **Gefühle äußern**
  Wie fühlst du dich? – Gut./Schlecht. – sich ärgern/freuen – sauer/egoistisch/glücklich/neugierig sein – Es tut mir leid. – Es interessiert mich (nicht).

- **Vorliebe und Abneigung äußern**
  Das Hemd gefällt ihr. – Die Jeans gefallen ihm. – Ich finde den/das/die ... echt/total cool, schick, witzig, elegant, modern, fantastisch, komisch, hässlich, scheußlich, furchtbar, schrecklich

- **in Konfliktsituationen reagieren**
  Verstehst du denn nicht? – Wir müssen das besprechen. – Hör doch auf! – Lass mal! – Wir wollen doch nicht streiten. – Das sehe ich gar nicht ein! – Lass mich doch in Ruhe! – Ich will aber nicht! – Sag das noch mal! – Das willst du wohl nicht hören!

- **eine Meinung äußern**
  Ich finde/meine, dass ... – Meiner Meinung nach ...

- **jemanden auffordern**
  Bleibt nicht so lange auf! – Mama hat gesagt, wir sollen nicht so lange aufbleiben. – Sei kein Spielverderber!

GRAMMATIK

1. attributives Adjektiv

	Singular			Plural
	Maskulinum	Neutrum	Femininum	
Nominativ	der blaue Rock	das rote T-Shirt	die weiße Hose	die schwarzen Schuhe
Akkusativ	den blauen Rock	das rote T-Shirt	die weiße Hose	die schwarzen Schuhe

2. Personalpronomen im Dativ

Wie findet **er** den Mantel?	Der Mantel gefällt **ihm**.
Wie findet **sie** das Kleid?	Das Kleid gefällt **ihr**.
Wie finden **sie** die Hose?	Die Hose gefällt **ihnen**.
Wie finden **Sie** die Schuhe?	Die Schuhe gefallen **Ihnen**.

3. Modalverben *wollen, sollen*

ich	will/soll	wir	wollen/sollen	Wir wollen/sollen nicht	streiten.
du	willst/sollst	ihr	wollt/sollt	Ihr **wollt/sollt** Hausaufgaben **machen**.	
er/es/sie	will/soll	sie/Sie	wollen/sollen	**Modalverb** + **Infinitiv**	

4. Reflexive Verben

ich	ärgere **mich**	wir	ärgern **uns**
du	ärgerst **dich**	ihr	ärgert **euch**
er/es/sie	ärgert **sich**	sie/Sie	ärgern **sich**

5. Nebensatz mit *wenn*

Ich freue mich. Meine Tante kommt.

Ich freue mich, **wenn** meine Tante kommt.

5. unbestimmer Artikel im Dativ

Mit	**einem**	Hut	fährt man nicht Schi.	ein – einem
Bei	**einem**	Rockkonzert	trägt man keine Bademütze.	ein – einem
Zu	**einer**	Party	bringt man kein Pony mit.	eine – einer
An		Schuldiscos	haben alle Spaß.	–

Unsere Wohnung ist zu klein

1 Chaos

L27/1

a) Hör zu. Worum geht es in dem Gespräch?

1 Veronika und Susanne wollen ihr Zimmer aufräumen.
2 Die Mutter schimpft, weil ihr Zimmer so unordentlich ist.
3 Die beiden Mädchen finden es super, dass sie gemeinsam ein Zimmer haben.

b) Hör noch einmal zu. Was ist richtig? Was ist falsch?

1 Die Mutter findet Veronikas und Susannes Zimmer sehr schön.
2 Ihre Mutter sagt, sie sollen ihre Sachen aufräumen.
3 Das Zimmer ist so klein. Niemand kann da Ordnung halten.
4 Sie haben zusammen einen Schrank. Veronika meint, dass ihr Schrank zu klein ist und ihr Regal auch.
5 Veronika kann ihren gemeinsamen Computer nicht benutzen, weil Susanne immer so lange im Internet surft.
6 Susanne kann sehr schnell einschlafen, wenn Veronika so laut Musik hört.
7 Die beiden möchten unbedingt weiter ein gemeinsames Zimmer.

Das sind die beiden Mädchen.						
	Nominativ			**Akkusativ**		
Und das ist	ihr	Schrank.	Sie finden	ihren	Schrank	gut.
	ihr	Zimmer.		ihr	Zimmer	
	ihre	Mutter.		ihre	Mutter	
Und das sind	ihre	Sachen.		ihre	Sachen	
Ebenso: Hier sind zwei Jungen.						
Und das ist	ihr	Schrank.	Sie finden	ihren	Schrank	gut.
	...			...		
Und auch so:						
Herr Roth, ist das	Ihr	Schrank?	Wie finden Sie	Ihren	Schrank?	
	...			...		

2 E-Mail an Tante Nora

Liebe Tante Nora,
heute hat unsere Mutter mal wieder richtig geschimpft! Weil unser Zimmer ein Chaos ist, sagt sie. Aber wir können unser Zimmer gar nicht in Ordnung halten, weil es so klein ist. Unser Schrank ist zu klein. Unser Regal ist auch nicht groß genug. Wir wissen nicht, wohin wir unsere Sachen tun sollen. Das ist so stressig! Unsere Wohnung ist überhaupt viel zu klein. Wir möchten endlich jede ein Zimmer für sich allein. Jakob ist erst acht und hat schon ein eigenes Zimmer. Wir möchten so gern eine neue Wohnung. Rede doch mal mit den Eltern! Bitte, bitte!
Herzliche Grüße, auch an Onkel Karl, Deine Veronika und Susanne.

a) Onkel Karl möchte wissen, was die beiden schreiben. Das sagt Tante Nora: „Ihre Mutter hat mal wieder ...“ **Mach weiter.**

b) Tante Nora antwortet.

Sie schreibt, dass sie sie versteht.

dass ihre Wohnung wirklich nicht groß genug ist.

dass sie wirklich zwei Zimmer brauchen.

und dass sie mit den Eltern redet.

Schreib die E-Mail.

> **Tipp!**
> Beim Argumentieren:
> Argumente sammeln,
> erst dann sortieren.

3 Ein gemeinsames Zimmer – pro und contra

Man kann gemeinsam Musik hören.
Man hat keinen Platz. Es ist zu eng.
Man braucht nur einen Computer.

Man kann seine Freunde nicht mitbringen. Die Schwester / Der Bruder liest abends so lang. Man ist nie allein.

a) Ordne die Argumente. Schreib auf.
Was spricht dafür? Was spricht dagegen?

b) Sammelt in der Klasse weitere Argumente. Schreib sie an die richtige Stelle.

c) Diskutiert in der Klasse: Meiner Meinung nach kann man ... Aber man kann ...
Ich meine / glaube, dass ... Trotzdem kann man ...

4 Stress am Morgen

Ergänze den Dialog. Probier's zuerst allein. Zu schwer? Die Wörter unten helfen dir.

❑ Susanne, was ist denn los? Es ist schon spät. Wir ✳ auch alle rein.

▲ Ich bin noch nicht fertig.

● Dann mach ✳!

▲ Ich ✳ nicht ✳!

○ Du ✳ nicht ✳ als eine Viertelstunde im Bad bleiben. Wie wir alle!

▲ Ich weiß! Ich bin heute ✳ aufgestanden.

● Das ist uns doch egal! Ich ✳ jetzt rein!

▲ Ich komme ja schon!

● Na endlich!

länger – später – schneller (2 mal)
will/muss – wollen/müssen – darfst – kann

5 Im Bad

● Was hast du mit meiner Zahnbürste gemacht?
▲ Ich habe gar nichts mit deiner Zahnbürste gemacht!

● Ich finde sie aber nicht mehr.
▲ Also, ich habe deine Zahnbürste nicht genommen!

a) Und auch so:

mit meinem Kamm   mit meinem Handtuch   mit meiner Seife   mit meinen Lockenwicklern

b) Hör die Dialoge zur Kontrolle.

c) Hör zu, zeig mit und sprich nach.

Waschlappen   Deo   Zahnpasta  Haarspangen

d) Mach weitere Dialoge mit den Wörtern von Aufgabe c.

Was hast du mit ... gemacht?			
meinem/deinem Kamm	meinem/deinem Handtuch	meiner/deiner Seife	meinen/deinen Lockenwicklern

6 Ach was!

1 Ich gebe meinem Bruder etwas zu fressen.
2 Der Tierarzt putzt meiner Tante die Zähne.
3 Mäuse schmecken deiner Mutter.
4 Das Fernsehprogramm gefällt meinem Meerschweinchen heute gar nicht.
5 Die Lockenwickler gehören meinem Hund.
6 Du hilfst deiner Katze beim Geschirrspülen.

a) Mach die Sätze richtig.

b) Stell deinem Partner Fragen.
Wem gehört/schmeckt/...?

7 Unsere Wohnung

a) Ordne die Wörter den Räumen zu.

a Bad   e Schlafzimmer
b Küche   f Wohnzimmer
c Flur   g Kinderzimmer
d Balkon

1	2	3	4	5	6	7	8
F	E	G	G	B	A	C	D

Lösung:

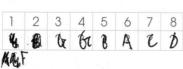

b) Was macht man da? Schreib auf: In der Küche kocht man. Im Wohnzimmer ...

Der Mauerpark

Der „Mauerpark" befindet sich im Berliner Bezirk Prenzlauer Berg (früher Ost-Berlin). Der Mauerpark war ab 1961 die Grenze zwischen den Bezirken Prenzlauer Berg (Ost) und Wedding (West). Man kann heute noch ein Stück „Hinterlandmauer" sehen. Die „Hinterlandmauer" war eine zweite Mauer in Ost-Berlin. Zwischen der ersten Mauer und der zweiten Mauer gab es den „Todesstreifen". Die DDR-Soldaten haben hier auf Menschen geschossen. Die „friedliche Revolution" hat 1989 zum Ende der DDR geführt.

Seit 2004 gibt es im „Mauerpark" jeden Sonntag einen Flohmarkt. Der Flohmarkt ist sehr groß und sehr bekannt. Es kommen auch viele Touristen. Man kann Platten, CDs, Bücher, Möbel, Kleidung und Fahrräder kaufen und es gibt viel zu essen. In der Nähe befindet sich eine kleine Arena. Der Ire Joe Hatchiban hat vor fünf Jahren eine Karaoke-Anlage mitgebracht. Ein großer Erfolg! Hunderte sitzen jeden Sonntag in der Arena und hören den Sängern zu. Die Lieder klingen manchmal schrecklich. Aber das ist auch lustig. Auf der Wiese spielen Menschen Fußball und Frisbee. Manche grillen Fleisch und Gemüse. Das duftet!

4-Zi.-Whg. Westpark, 95 qm
Topzustand, Blk.
€ 690,- + NK   € 120,-

Haus, 5 Zi., AB, Garten,
große Küche, kein Keller
€ 890,-

8   Anzeigen in der Zeitung

Großer eigener Garten, 5-Zi.-Whg.
EG, NB, 103 qm, kleine Küche,
3 Min. zur U-Bahn
€ 750,- + NK + Hzg.

REH, NB, ca. 140 qm,
300 qm Garten,
5 Zi., 2 Bäder,
Hobbyraum im Keller
€ 910,- + NK

Traumhafte Dachterrassen-
Wohnung, 3 Zi., ca. 92 qm
AB, Gas-Hzg., 2 Bäder
€ 980,- + NK

Sonnige NB-Reihenhäuser,
134 qm, 4 Zi., Wo-Zi. 30 qm,
Gge. € 940,- + NK

a) **Was bedeuten die Abkürzungen?**

AB, NB, Hzg., Wo-Zi., Blk., REH, Gge., ca., Zi., Whg., EG, Min., NK

Wohnzimmer – Balkon – Altbau – Neubau – Garage – Nebenkosten – Heizung –
Reihenhaus – circa – Zimmer – Wohnung – Minuten – Erdgeschoss

b) **Lies die Anzeigen ohne Abkürzungen. Beispiel:** Vier-Zimmer-Wohnung …

9   Unsere Wunschwohnung

Eltern:
Wir brauchen fünf helle Zimmer und eine
große Küche, am liebsten ein Reihenhaus.
Dann haben wir auch einen kleinen
Garten. Die Kinderzimmer müssen nicht
groß sein. Vielleicht gibt es auch noch ein
kleines Arbeitszimmer im Keller.

Kinder:
Wir möchten keine Wohnung, lieber ein kleines
Haus. Wir möchten einen großen Garten und
jeder ein eigenes großes Zimmer. Also brauchen
wir fünf Zimmer. Im Keller brauchen wir einen
tollen Partyraum und, wenn möglich, einen
großen Tischtennisraum. Und wir brauchen
mindestens zwei Badezimmer.

a) **Vergleiche:**
Was möchten nur die Eltern?
Was möchten nur die Kinder?
Was möchten alle gemeinsam?

b) **Lies die Anzeigen. Lies noch einmal die
Wunschwohnungen. Wer findet in den
Anzeigen die passende Wohnung /
das passende Haus?**

Wir möchten
einen großen Garten   ein kleines Haus   eine große Küche   helle Zimmer
(den Garten)   (das Haus)   (die Küche)   (die Zimmer)

10 Mein Traumhaus

Mitten im Dschungel von Australien an einem Fluss steht mein
Traumhaus. Es ist ein Baumhaus. Unten hat es ein gemütliches
Wohnzimmer und im Obergeschoss ein großes Schlafzimmer mit
einem großen Bett. Viele exotische Vögel und Kängurus gibt es hier.
Man kann sie manchmal von der Terrasse aus sehen.

Beschreibe dein Traumhaus. Schreib so:
In meinem Traumhaus gibt es …

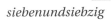

Endlich ein eigenes Zimmer!

 1 Unser
Reihen-
haus

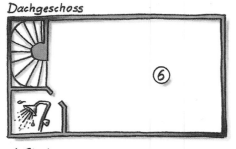
Dachgeschoss

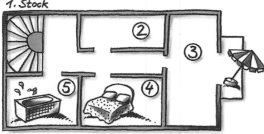
1. Stock

Erdgeschoss

Keller

a) Welcher Text passt zu den Bildern?

Das Reihenhaus hat fünf Zimmer, ein großes
Wohnzimmer im Erdgeschoss mit einer Terrasse
zum kleinen, aber hübschen Garten.
Im ersten Stock befinden sich drei Schlafzimmer
und zwei Bäder.
Unter dem Dach gibt es ein weiteres Zimmer mit
Balkon.
Im Keller sind der Heizungsraum, ein Wasch- und
Trockenraum und ein Raum für die Fahrräder.

Das Reihenhaus hat im Erdgeschoss eine Küche,
eine Toilette und ein Wohnzimmer mit Terrasse
zum Garten.
Im ersten Stock sind drei Schlafzimmer, eines
davon mit Balkon, und ein großes Bad.
Das Dachgeschoss ist ausgebaut. Hier ist ein
schönes Jugendzimmer mit einem kleinen Bad.
Im Keller gibt es einen großen Hobby- und
Partyraum.

b) Welche Räume erkennst du gleich?
Nummer ... ist das Bad. **usw.**

c) Was steht nicht in der Küche?
Herd – Kühlschrank – Spülmaschine – Waschmaschine – Kleiderschrank – Küchenschrank
Was gibt es nicht im Badezimmer?
Spiegel – Waschbecken – Toilette – Badewanne – Schwimmbad – Dusche

d) Vergleiche die Zimmer.
Zimmer/Raum Nummer 1 ist größer/kleiner als ... Zimmer Nummer ... liegt im ersten
Stock/Erdgeschoss. Zimmer ... hat ...

e) Stell dir vor, du darfst aussuchen. Welches Zimmer möchtest du? Und warum?

f) Welche Zimmer bekommen Veronika, Susanne und Jakob? Was glaubst du?
Begründe deine Meinung. Sprich so: Jakob bekommt das Zimmer Nummer ..., weil ...

2 Wer bekommt was?

a) Hör zu und schau die Zimmer an.

b) Hör noch einmal zu. Wer bekommt welches Zimmer? Und warum? War deine Vermutung richtig?

c) Lies die Satzteile. Wie passen die Teile zusammen?

1 Die Mutter ist froh,   a weil beide das Dachzimmer möchten.
2 Jakob bekommt ein kleines Zimmer, b weil er vorher schon ein eigenes hatte.
3 Die Mädchen streiten sich,   c wenn alle endlich ihre Zimmer haben.
4 Susanne ist zufrieden,   d dass sie das Dachzimmer bekommen hat.
5 Veronika ist glücklich,   e weil sie jetzt einen Balkon hat.

	1	2	3	4	5
Lösung:	?	?	?	?	?

3 Aus dem Möbelkatalog

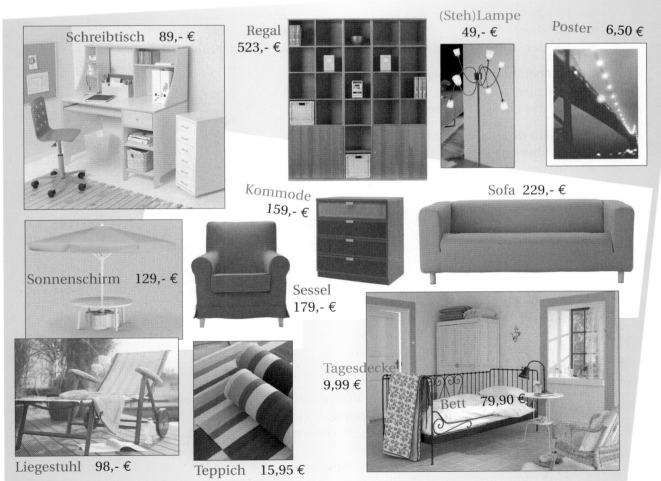

Schreibtisch 89,- €

Regal 523,- €

(Steh)Lampe 49,- €

Poster 6,50 €

Kommode 159,- €

Sofa 229,- €

Sonnenschirm 129,- €

Sessel 179,- €

Liegestuhl 98,- €

Teppich 15,95 €

Tagesdecke 9,99 €

Bett 79,90 €

a) Hör zu und antworte.

b) Was steht im Wohnzimmer/Schlafzimmer/ Kinderzimmer?

4 Im Möbelhaus

L28/3

▲ Wie gefallen dir die Stühle da?
● Welche?
▲ Na, die weißen, hinter dem Tisch.

▲ Wie gefällt dir der Teppich da?
● Welcher?
▲ Na, der blaue, unter den Stühlen.

▲ Wie gefällt dir das Poster da?
● Welches?
▲ Na, das große, über der Kommode.

▲ Gefällt dir der Stuhl da?
● Welcher?
▲ Na, der schwarze, vor dem Schreibtisch.

▲ Wie findest du den Sessel da?
● Welchen?
▲ Na, den gelben, neben dem Sofa.

▲ Wie findest du die Decke da?
● Welche?
▲ Na, die bunte, auf dem Bett.

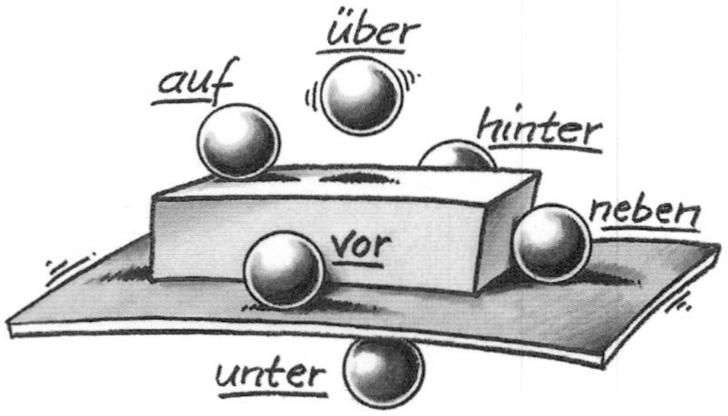

a) **Schau das Bild an. Mach weitere Dialoge.**

b) **Schau das Bild an. Welcher Sessel / Welche Lampe / ... gefällt dir am besten?**

hinter **dem** Tisch	auf **dem** Bett	über **der** Kommode	unter **den** Sesseln
vor **dem** Schreibtisch	neben **dem** Sofa	unter **der** Lampe	vor **den** Fenstern

5 Rollenspiel

a) **Schneidet aus Möbelkatalogen Möbel aus und klebt sie auf einen Karton. Stellt Fragen und antwortet wie oben.**
Wie findest du ... ? Wie gefällt dir ... ? – Welcher/Welchen/Welches/Welche?
Der/Den/Das/Die neben/vor/ ...

b) **Spielt eine Einkaufsszene „Im Möbelhaus“. Es spielen ein Verkäufer und ein Käufer. Verwendet die Möbel aus der Collage.**
„Entschuldigung, was kostet das Sofa da?“ – „Welches?“ ...

6 Umzug!

a) Hör zu,
zeig mit
und sprich
nach.

L28/4

b) Schreib 16 Wörter auf
und sortiere nach *der - das - die.*

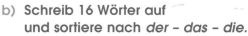
becken – bett – Bücher – Ess – Fern – Kassetten – Kinder – Kinder – Kleider – Kühl – lampe –
lampe – Liege – maschine – maschine – regal – rekorder – schirm – schrank – schrank –
Schreib – seher – Sonnen – Spül – Steh – stuhl – stuhl – Tisch – tisch – tisch – Wasch – Wasch

c) Hör die Wörter zur Kontrolle.

L28/5

d) Frag deinen Partner: Wo ist/liegt/steht der/das/die ... ?
   Antwort: Neben/Hinter/ ... dem/der/einem/einer ...

Nomen	+	Nomen			
		der Stuhl	= der Kinderstuhl		Das zusammengesetzte
die Kinder	+	das Bett	= das Kinderbett		Nomen hat immer den
		die Party	= die Kinderparty		Artikel des Grundworts.
Bestimmungswort	Grundwort	zusammengesetztes Nomen			
Verb	+	Nomen		Adjektiv + Nomen	
		der Lappen	= der Waschlappen		der Bau	= der Altbau
wasch(en)	+	das Becken	= das Waschbecken	alt	+ das Papier	= das Altpapier
		die Maschine	= die Waschmaschine		die Stadt	= die Altstadt

7 Lauter Laute

a) Hör zu und lies mit. Achte auf die Betonung. Sie liegt auf dem Bestimmungswort.
   Altbau – Wohnzimmer – Reihenhaus – Schwimmbad – Tiefgarage – Partyraum – Musikzimmer

L28/6

b) Lies laut. Dann hör zu. Richtig? Wiederhole.
   Schreibtisch – Gitarrenstunde – Neubau – Zeichenblock – Fahrrad – Klassenzimmer –
   CD-Player

L28/7

8 Na so was!

Wie heißen die Wörter richtig? Schreib sie mit dem Artikel auf.
Kühlmutter – Schildschweinchen – Schlafboot – Turnwurst – Fotobahn – Großschrank –
Brathalle – Ruderzimmer – Meerkröte – Straßenapparat

9 Mein liebstes Möbelstück

a) Macht eine Umfrage in der Klasse: Was ist bei dir zu Hause dein liebstes Möbelstück? Was ist dir beim Möbelkauf am wichtigsten: der Preis, die Qualität oder das Design?

Report

Radiotele hat 942 Schweizer Jugendliche zum Thema „Wohnen" befragt.

Fast alle befragten Jugendlichen wohnen noch bei ihren Eltern, fast alle in ihrem eigenen Zimmer. Als liebstes Möbelstück bezeichnen die Jugendlichen das Bett. Kaufen würden sie aber eher ein Sofa (54%) oder einen Sessel (21%) als ein Bett (14%). Grundsätzlich achten die jungen Leute bei der Auswahl der Möbelstücke in erster Linie auf den Preis, noch vor der Qualität und dem Design. Bezahlt werden die Einkäufe aber meistens nicht von den Jugendlichen, sondern von den Eltern.

b) Vergleiche eure Umfrage in der Klasse mit dem Text.

10 MMS

Hallo, Laura,
das ist mein neues Zimmer. Aber ich beschreibe es Dir noch genauer per Mail. Gruß
Deine Veronika

a) Vergleiche den Text mit den Fotos der MMS. Verbessere.

Veronikas Zimmer ist sehr klein, aber gemütlich. Unter dem Fenster steht ihr Schrank. Das ist wichtig, vor allem im Winter, denn so ist es nicht dunkel, wenn sie da sitzt und ihre Hausaufgaben macht. Der Stuhl vor dem Schrank ist blau und ganz modern. Neben dem Schreibtisch ist ein Fenster. Jetzt ist es noch leer. Aber bald stehen alle ihre CDs drin. Aus dem Sofa kann sie am Abend ein Regal machen. Das ist praktisch. Über dem Poster hängt ein Sofa, natürlich von Robbie Williams. Der Schreibtisch neben dem Sofa ist groß und ziemlich breit. Da passen alle ihre Klamotten hinein. Über einem Tischchen liegt ein grüner Teppich. Es ist wirklich ein schönes Zimmer.

b) Schreib Susannes E-Mail an Laura. Probier's zuerst allein.
Zu schwer?
Der Text oben hilft dir.

Liebe Laura, ich möchte Dir mein neues Zimmer beschreiben.
Es ist sehr groß, aber ...
Ich hoffe, Du kommst mich mal an einem Wochenende besuchen.
Dann kannst Du mein neues Zimmer selbst bewundern.
Liebe Grüße   Deine Veronika

11 Besondere Möbel

Sprecht über die Bilder.

Wie findest du

  diesen Sessel?
  dieses Bett?
  diese Lampe?
  diese Stühle?
  ...

Ich finde diesen/ dieses/ diese ... praktisch, bequem, gemütlich, hässlich, herrlich, witzig, wunderbar, ...

	Maskulinum	Neutrum	Femininum	Plural
Nominativ	der → dieser	das → dieses	die → diese	die → diese
Akkusativ	den → diesen	das → dieses	die → diese	die → diese
Dativ	dem → diesem	dem → diesem	der → dieser	den → diesen

12 Endlich geschafft!

a) **Ergänze *dieser/diesen/diesem/...* Hör dann den Text zur Kontrolle.**

 L28/8

- Jetzt können wir feiern. Susanne, Veronika, könnt ihr mal das Abendessen vorbereiten?
- Wie denn? Wo sind denn die Teller?
- Ich glaube, in ✳✳✳ Karton. Aber vorsichtig!
- Welcher Karton? ✳✳✳?
- Nein, der da drüben.
- Mama, ich soll Brot schneiden. Aber mit ✳✳✳ Messer geht das nicht.
- Hier, ✳✳✳ Messer ist gut.
- Danke.
- Mama, darf ich ✳✳✳ Wurst essen?
- Ja, aber warte, bis alle da sind.
- Mama, wo ist mein Spielzeug?
- Du brauchst doch jetzt kein Spielzeug.
- Doch, ohne meinen Teddy kann ich nicht einschlafen.
- Ach so. –Warte mal! Probier's mal mit ✳✳✳ Kiste.

- ✳✳✳ Kiste? Die ist zu.
- Tatsächlich? Lass mal sehen.
- Die ist doch auf. Bist du denn so schwach?
- Lass mich in Ruhe.
- Kinder, nicht streiten! – Ihr wart heute alle so fleißig.
- Ich schon. Aber Susanne war faul.
- Ach, Unsinn! Schluss jetzt!
- Sollen wir vielleicht die Nachbarn einladen? Die waren doch heute eine große Hilfe.
- Das ist eine gute Idee. Jakob, kannst du sie mal holen?
- Immer ich.
- O je, wie bringen wir ✳✳✳ Chaos je in Ordnung? –Na, egal. Wir haben es geschafft!

b) **Stell Fragen mit *Wer? Was? Wo? Wen? Wie?*.**

Tipp!
Nehmt kurze Texte auf und korrigiert euch gegenseitig.

c) **Wer spricht? – Lest den Text mit verteilten Rollen. Ihr könnt auch eine Szene spielen und sie als Hörspiel aufnehmen.**

Das kann ich schon:

Sätze und Wörter

- das eigene Zimmer beschreiben   Neben/Hinter/ … steht/liegt/hängt … Es gibt einen/ein/eine … –
  Das Zimmer ist gemütlich/praktisch.

- Räume der Wohnung   Wohnzimmer, Schlafzimmer, Kinderzimmer, Flur, Balkon, Garage, Heizung

- Möbel und Einrichtungs-gegenstände   Sofa, Sessel, Teppich, (Steh-)Lampe, Bett, Kommode, Schreibtisch, Decke, Poster, Herd, Kühlschrank, Spülmaschine, Waschmaschine, Waschbecken, Spiegel, Dusche, Badewanne, Sonnenschirm, Liegestuhl

GRAMMATIK

1. Possessivartikel im Nominativ und Akkusativ

	Nominativ			Akkusativ		
Hier sind die Kinder. Das ist	ihr	Tisch.		Sie finden	ihren	Tisch	praktisch.
	ihr	Regal.			ihr	Regal	
	ihre	Wohnung.			ihre	Wohnung	
Das sind	ihre	Sachen.			ihre	Sachen	
Herr Meier, ist das	Ihr	Tisch?		Wie finden Sie	Ihren	Tisch?	
	Ihr	Regal?			Ihr	Regal?	
	Ihre	Wohnung?			Ihre	Wohnung?	
sind das	Ihre	Sachen?			Ihre	Sachen?	

2. Possessivartikel im Dativ

Maskulinum		Neutrum		Femininum		Plural	
mit	meinem Spiegel	mit	meinem Deo	mit	meiner Zahnbürste	mit	meinen Schuhen
	deinem Kamm		deinem Handtuch		deiner Creme		deinen Stiefeln

3. Adjektiv im Akkusativ

	Maskulinum	Neutrum	Femininum	Plural
wir möchten	einen großen Garten (den)	ein kleines Zimmer (das)	eine helle Küche (die)	große Räume (die)

4. Präpositionen (Ort) + Dativ

Singular			Plural
Maskulinum	Neutrum	Femininum	
neben **dem** Schrank	hinter **dem** Sofa	auf **der** Decke	unter **den** Stühlen
über **dem** Tisch	unter **dem** Fenster	vor **der** Lampe	hinter **den** Sesseln

5. Demonstrativartikel

	Maskulinum	Neutrum	Femininum	Plural
Nominativ	dieser Mann	dieses Kind	diese Frau	diese Leute
Akkusativ	diesen Mann	dieses Kind	diese Frau	diese Leute
Dativ	diesem Mann	diesem Kind	dieser Frau	diesen Leuten

1 Lesen

Landjugend

Leben auf einem

Bauernhof

wie aus dem Bilderbuch

Julia lebt mit ihren drei Geschwistern, den Eltern, dreißig Milchkühen, zwei Pferden, einer Schafherde, ein paar Katzen und einem Hund auf einem Hof eine knappe Autostunde von München.

Auch eine Wirtschaft und Ferienwohnungen gehören dazu. Das Dorf hat 27 Einwohner, rundherum nur Hügel, Felder und Wald. Wie in einem Bilderbuch.
Städter träumen von so einer Idylle und mieten sich in den Gästezimmern ein: Ferien auf dem Bauernhof.

Ganz sicher möchte Julia immer auf dem Land leben, hier oder irgendwo in der Nähe.

Einmal war sie mit ihrer Großmutter und ihrer 16-jährigen Schwester Martina eine Woche in Frankreich. Nach ihrer Heimkehr wusste sie: Sie möchte später ein Busunternehmen gründen und „Leute an schöne Orte bringen". So kann sie das Fernweh stillen, ohne an Heimweh zu leiden. Aber das hat ja noch Zeit.

a) **Lies den Text. Manche Wörter musst du vielleicht im Wörterbuch nachschlagen. Tipps dazu findest du zwei Seiten weiter in** Lernen lernen**.**

Strategie

Versuche so viel wie möglich aus dem Kontext zu verstehen. Schau dann nur wichtige unbekannte Wörter im Wörterbuch nach.

b) **Was ist richtig?**

1 Welche Tiere sind auf dem Bauernhof?
   a Ein paar Katzen, zwei Hunde und dreißig Milchkühe
   b Ein Hund, Katzen, Schafe, zwei Pferde und viele Milchkühe
   c Ein Hund, ein Pferd, Katzen und dreißig Schafe

2 Warum möchte Julia später ein Busunternehmen gründen?
   a So kann sie zu Hause sein und andere Länder sehen.
   b So kann sie immer auf dem Land leben.
   c So kann sie immer mit ihrer Schwester nach Frankreich fahren.

c) **Beantworte die Fragen.**

1 Wer gehört zu Julias Familie?
2 Wie viele Leute wohnen immer im Dorf?
3 Mit wem war Julia in Frankreich?
4 Wo möchte Julia später leben?

2 Landeskunde

2.1 Häuser in Deutschland

1

3

5

2

4

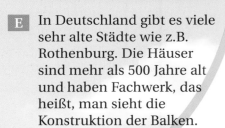
6

R In vielen deutschen Städten gibt es ein altes Stadtzentrum. Besonders bekannt sind die Altstädte von Erfurt und Weimar.

Ä In Frankfurt am Main gibt es die meisten Hochhäuser Deutschlands. Diese Wolkenkratzer stehen in der City von „Mainhattan".

U Eine Hallig ist eine kleine Insel in der Nordsee. Meist gibt es dort nur ein Dorf und wenige Einwohner. Die Häuser sind mit Reet gedeckt. Reet ist eine Pflanzenart.

E In Deutschland gibt es viele sehr alte Städte wie z.B. Rothenburg. Die Häuser sind mehr als 500 Jahre alt und haben Fachwerk, das heißt, man sieht die Konstruktion der Balken.

H Die Schwarzwald-Häuser sind berühmt für ihre Dächer, die fast bis zum Erdgeschoss reichen.

S In den Alpen gibt es schöne alte Häuser mit Balkonen aus Holz und mit Malereien.

a) Lies die Texte und schau die Bilder an. Wie passen sie zusammen?

Lösung:

1	2	3	4	5	6
H	?	?	?	?	?

b) Such die Städte und Landschaften in der Karte hinten im Buch. Wenn du mehr Informationen haben willst, schau im Internet nach.

c) Wie sehen die Häuser, Städte und Dörfer bei euch aus? Gibt es bei euch auch besondere alte Häuser?

2.2 Fernsehkonsum von deutschen Jugendlichen

a) **Schau die Statistik an. Frag deinen Partner:**
- ● Wann sehen deutsche Jugendliche am meisten fern?
- ❑ Am/An ... um ...

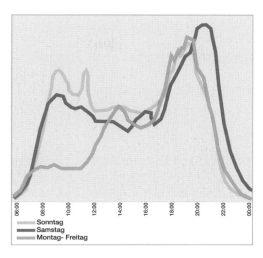

| Wann sehen sie | morgens mittags nachmittags abends | mehr weniger | fern, am Wochenende oder an Wochentagen? |

b) **Macht eine Umfrage in der Klasse und erstellt eine Statistik.**

3 Gemeinschaftsarbeit – Plakat „Wie wohnen Menschen in aller Welt?"

a) **Nicht alle Leute wohnen so wie ihr. Sucht Informationen und Bildmaterial im Internet, in Zeitschriften und Büchern.**

b) **Klebt die Bilder auf ein Plakat und schreibt auf Deutsch etwas dazu. Ihr könnt im Wörterbuch nachschauen.**

Wie wohnen Menschen in aller Welt?

4 Lernen lernen

4.1 Arbeit mit dem Wörterbuch – Zusammengesetzte Nomen

Du findest nicht alle Wörter genau so im Wörterbuch, wie sie im Text stehen. Wenn du ein zusammengesetztes Nomen nicht findest, such die Teile. Fang beim Grundwort an.
Beispiel: Küchen-<u>radio</u> → Radio - Küche = Radio für die Küche
Such diese Wörter aus dem Text „Landjugend" im Wörterbuch:
Landjugend, Bauernhof, Bilderbuch, Milchkuh, Schafherde, Busunternehmen.

4.2 Gruppengespräch mit Fragekarten

a) **Schreibt in Gruppen Fragekarten.**

> Wie lange?   Wer?   Wie oft?   Was?   Warum?   Wann?   Wo?   Mit wem?

Schreibt auch Themenkarten.   Fernsehen   Wohnen   Krank sein   Tagesablauf

b) **Eine Themenkarte und eine Fragekarte ziehen. Beispiel:**   Wohnen   Mit wem?

Frage stellen:
Mit wem wohnst du zusammen?

Frage beantworten:
Mit meinen Eltern und meinem Bruder.

4.3 Situationen – Was sagt man da?

a) **Schau das Bild an.**
Was sagt die farbige Person? Beispiel:
„Die Musik ist aber sehr laut:" **oder**
„Die Musik ist ja toll, aber zu laut." **oder** „...."

b) **Sammelt gemeinsam Bilder aus Illustrierten.**
Sie sollen interessante Situationen mit
mindestens zwei Personen zeigen.
Was sagen die Personen?

5 Wiederholung

Tante Frieda kommt zu Besuch

Tante Frieda ✳✳ mit dem Zug am Hauptbahnhof ✳. Sie ✳✳ ✳, aber niemand ✳✳ sie ✳.
Also ✳✳ sie ihr Handy ✳ und ✳✳ bei den Verwandten ✳. Gabriel ist schon wach, aber er
liegt noch im Bett. Er ✳✳ ✳ und geht schnell zum Telefon. Seine Tante ist dran. Sie ist ziemlich
sauer. Gabriel ✳✳ sich schnell ✳. Er läuft zur Straßenbahnhaltestelle. Aber in diesem
Moment ✳✳ der Fahrer die Tür ✳ und ✳✳ ✳. Gabriel nimmt schnell ein Taxi. Da sieht er
auch schon die Tante. Er läuft zu ihr hin. Leider ✳✳ er einen Moment nicht ✳. Da steht nämlich Tante Friedas Tasche im Weg. Er ✳✳ ✳, genau vor Tante Frieda. Die lacht und sagt:
„Hallo, was machst du denn da unten?"

a) **Ergänze die Verben:** aussteigen - ankommen - herausnehmen - aufstehen - abfahren -
anrufen - hinfallen - zumachen - anziehen - aufpassen - abholen

b) **Gabriel schreibt eine E-Mail an seinen Freund. Schreib die E-Mail.**
Schreib so: Gestern ist meine Tante Frieda mit dem Zug am Hauptbahnhof angekommen ...

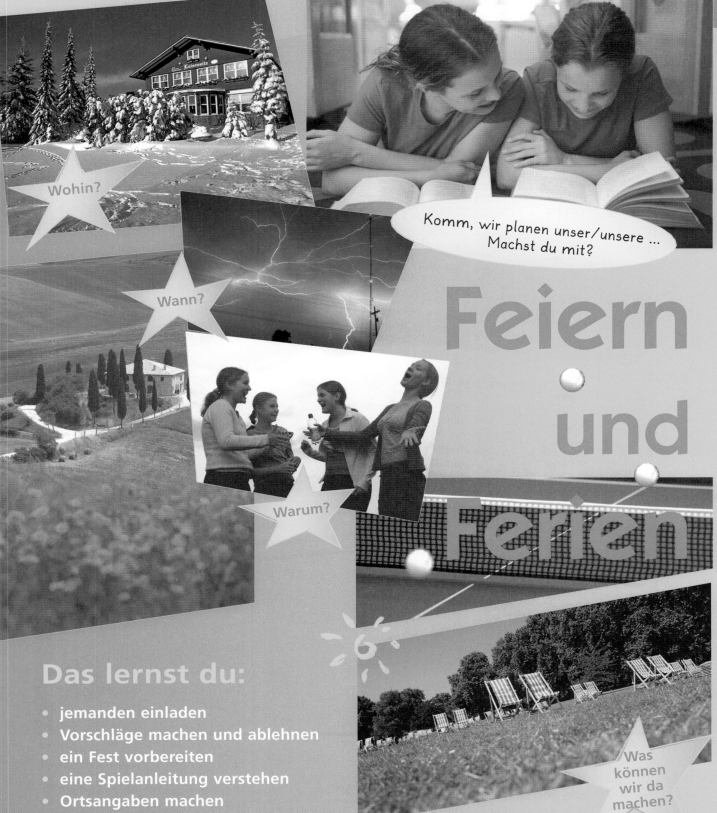

Wohin?

Wann?

Warum?

Komm, wir planen unser/unsere ...
Machst du mit?

Feiern und Ferien

Was können wir da machen?

Das lernst du:

- jemanden einladen
- Vorschläge machen und ablehnen
- ein Fest vorbereiten
- eine Spielanleitung verstehen
- Ortsangaben machen
- Glückwünsche aussprechen
- zu etwas auffordern
- Informationen entnehmen
- Ferienpläne machen
- Orte beschreiben

- Vergangenes erzählen
- Feste und Feiern
- etwas über das Wetter
- was es auf dem Bahnhof gibt

Wir feiern

1 So kann man Geburtstag feiern.

Disco-Fahrt – Around the Lake

Die Disco-Party auf dem MS Seeshaupt

mit den DJs Olli, Alex und Garry

Abfahrt 19.30 Uhr ab Starnberg, ca. 3 1/2 Std., Fahrpreis 17,– €

Feiere deine Geburtstagsparty mit deinen Freunden im Holiday Park in Hassloch!

Es erwartet dich: ein schön gedeckter Geburtstagstisch im Restaurant.

Alle Shows und Fahrattraktionen sind im Eintrittspreis enthalten.

Preis inklusive Eintritt und Essen 22,90 € .

Für das Geburtstagskind ist alles frei.

Tolle Geburtstage im Zoo

Ein ganz besonderes Vergnügen sind unsere Führungen im Rahmen von Geburtstagsfeiern. Lade deine Gäste zu einer Sonderführung mit einem Blick „hinter die Kulissen" ein. Und dazu von unserem Seelöwen „Molly" ein Küsschen und einen feuchten Flossendruck.

Tierpark Hellabrunn in München 60 Minuten für 70,– € plus ermäßigten Eintrittspreis

Das ist die Idee!
Geburtstag im Bad!
Es ist für alles gesorgt:
– Party-Areal im Schwimmbad,
– Spielmaterial,
– ein Geschenk für das Geburtstagskind.

Nähere Informationen an den Kassen der Münchner Bäder.

Big Party – Geburtstagsspecials bei Film und Fernsehen

Einladung
zu meinem Geburtstag bei Film & Fernsehen

Der ganz besondere Geburtstag in der Bavaria-Filmstadt in Geiselgasteig: jede Menge Spaß mit vielen Highlights aus berühmten Filmen und bekannten Fernsehsendungen. Außerdem eine tolle Stunt-Show. Einen solchen Geburtstag feiert man nicht alle Tage!

95,– € Organisationspauschale plus Eintrittspreise.

Das Geburtstagskind hat freien Eintritt.

a) Mach so eine Tabelle und such die Informationen in den Texten oben.

Wo?	Was?	Programm?	Was kostet ... ?
Geiselgasteig	Bavaria-Filmstadt	Stunt-Show	
Starnberger See			

Strategie

Vergleiche Texte mit ähnlichem Inhalt. Das macht das Verstehen leichter.

b) Wie möchtest du deinen Geburtstag feiern? Sprich so:

Ich möchte ... machen, weil ...   Ich möchte gern ..., aber ...

2 Einladung zu meinem Geburtstag

Schreib eine Einladung zu deinem Geburtstag. Such dir etwas Besonderes aus, zum Beispiel aus Übung 1.

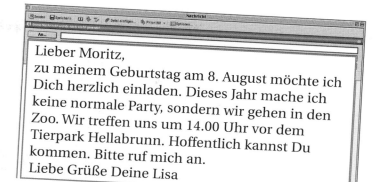

Lieber Moritz,
zu meinem Geburtstag am 8. August möchte ich Dich herzlich einladen. Dieses Jahr mache ich keine normale Party, sondern wir gehen in den Zoo. Wir treffen uns um 14.00 Uhr vor dem Tierpark Hellabrunn. Hoffentlich kannst Du kommen. Bitte ruf mich an.
Liebe Grüße Deine Lisa

3 Tipps im Radio

L29/1

a) **Hör zu und lies noch einmal die Texte von Übung 1. Um welche Angebote geht es?**

b) **Hör noch einmal zu und beantworte die Fragen.**

1 Was kann man auf dem Schiff machen?
   a Man kann tanzen und surfen.
   b Man kann tanzen und etwas trinken.
   c Man kann eine Beach-Party machen.

2 Woher sind die DJs bekannt?
   a Aus dem Fernsehen.
   b Aus dem Schiff.
   c Aus dem Radio.

3 Was kann man in der Filmstadt sehen?
   a Man kann keine Originalkulissen sehen.
   b Man kann Filme sehen.
   c Man kann eine Stunt-Show sehen.

4 Wo kann man im Zoo zuschauen?
   a Bei der Fütterung der Tiere.
   b Beim Pizzabacken.
   c Beim Küssen.

4 Ich habe bald Geburtstag.

▲ Felix, du hast ja bald Geburtstag.
❏ Ich weiß.
▲ Und? Möchtest du dieses Jahr keine Party machen?
❏ Immer das Gleiche! Ach nein.
● Na ja, du kannst ja etwas anderes machen, zum Beispiel ins ✳✳✳ gehen.
❏ Ins Kino? Nein, es ist so heiß.
▲ Dann könnt ihr doch ins ✳✳✳ gehen.
❏ Schwimmen? Das machen wir sowieso jeden Tag.

▲ Wie ist es mit einem Besuch im ✳✳✳? Das ist doch nett. Hast du nicht Lust?
❏ Ich weiß nicht. Tiere, am Geburtstag.
● Warum geht ihr nicht in die ✳✳✳? Film und Fernsehen interessieren dich doch.
❏ Ja schon, aber da kann man ja nicht reden.
▲ Dann geh doch mit deinen Freunden ins ✳✳✳.
❏ Das ist doch nichts Besonderes, Eis essen, im Sommer.
▲ Ja dann ...

a) **Ergänze das Gespräch. Lies noch einmal die Angebote von Übung 1.**

b) **Hör das Gespräch zur Kontrolle.**

c) **Wie feiert Felix seinen Geburtstag?**

L29/2

5 Vorbereitung für ein Geburtstagsfest

a) Was gehört zur Geburtstagsvorbereitung?
Schreib eine Liste.

b) Was gibt es bei einem Geburtsfest
zum Essen und Trinken?

- ein Lied auswendig lernen
- Essen und Getränke einkaufen
- das Meerschweinchen baden
- eine Telefonnummer wählen
- Preise für den Sieger kaufen
- eine Torte backen
- E-Mails zum Briefkasten bringen
- Freunde einladen
- Kaugummi einkaufen
- den Müll wegbringen
- die Rallye planen
- zum Friseur gehen und
  die Haare schneiden lassen
- den Grill aus dem Keller holen

6 Geburtstag feiern

a) Wie feierst du Geburtstag?

b) Was darf an deinem Geburtstag nicht fehlen? Sprich so:

Ohne meine Freunde / meinen Bruder   möchte ich nicht feiern.
Ohne eine Geburtstagstorte   macht Geburtstag keinen Spaß.
...   ...

7 Schreibspiel

Spielt in Gruppen. Jeder hat ein Blatt und schreibt. Beispiel

Du schreibst: Ohne meine Hausaufgaben

Das Blatt nach hinten falten und an den
linken Nachbarn weitergeben.

Du schreibst: gehe ich nicht ins Bett.
Du schreibst: Ohne eine Zahnspange

Das Blatt falten und weitergeben.
usw.
Nach vier Sätzen aufmachen und vorlesen.

8 Besondere Geschenke

a) Für wen ist dieses Geschenk richtig? Was glaubst du?

Wer im Büro tätig ist, verbringt etwa 80 000 Stunden in seinem Leben auf einem Bürostuhl. Kein Wunder, dass langes Sitzen oder eine ständig gleiche Körperhaltung irgendwann Schmerzen bringt. Der Bürostuhl mit Golfball-Massage hilft: Golfbälle werden abwechselnd von oben nach unten und umgekehrt bewegt. Und man fühlt sich nach nur wenigen Minuten wieder leistungsfähig.

für	einen Lehrer	für	ein Kind	für	eine Hausfrau
	einen Arbeiter		ein Pferd		eine Krankenschwester
	einen Brieffreund		ein Liebespaar		eine Sekretärin

für	meinen Bruder	für	mein Pferd	für	meine Freundin	für/ohne
ohne	meinen Bruder	ohne	mein Pferd	ohne	meine Freundin	+ Akkusativ

b) Erfinde selbst besondere Geschenke. Die Wörter helfen dir.

Lockenwickler   Kamm   ohne Wasser   mit Motor
Geburtstagstorte   Wollmütze   ohne Zähne   mit Fernseher
Wasserbett   Schlitten   ohne Hose   mit Musik
Taschenmesser   Schlittschuhe   ohne ...   mit Rädern
Kassettenrekorder   Anzug   mit Salz und Pfeffer
...   .

c) Für wen passen deine Geschenke? Beispiel: Die Lockenwickler mit Motor sind für ...

9 Viele Glückwünsche

Zu welchen Glückwünschen passen die Texte?

A Dieses Fest feiert man am 24. und 25. Dezember mit einem Christbaum.

B Bei diesem persönlichen Fest gibt es eine Torte.

C Dieses schöne Frühlingsfest feiert man mit bunten Eiern.

D Das wünscht man sich am Jahresanfang.

1 Alles Gute im Neuen Jahr

2 Frohe Ostern

3 Herzlichen Glückwunsch zum Geburtstag

Frohe Weihnachten

Lösung:

1	2	3	4
?	?	?	?

10 Feste und Feiertage international

Laut, mit viel Lärm feiert man in Tibet das neue Jahr. Es beginnt am 6. Februar. Der Lärm soll die bösen Geister vertreiben.
Jhado Tulku, Tibet

Weihnachten feiert man im Familienkreis, Ostern feiert man, mit wem man mag.
Das ist ein italienischer Spruch.
Klasse 3E, Italien

Am 13. Dezember feiern wir Santa Lucia. Die Kinder gehen mit Sternen, Kerzen und Hüten herum. Sie verteilen an die Leute den Lucia-Kuchen.
Heidi, Norwegen

In der Ukraine feiert man Weihnachten am 6. Januar. Es ist ein Familienfest.
Zina, Ukraine

Im Iran beginnt das neue Jahr am Frühlingsanfang. Wir treffen unsere Familie und Freunde.
Mahsa aus dem Iran

An Weihnachten ist es in Chile wärmer als in Europa, weil hier im Dezember Sommer ist. Es ist natürlich ein Familienfest.
Oriana, Chile

a) Vergleiche die Aussagen. Wann feiert man die Feste? Was ist gleich? Was ist anders?

b) Welche Feste feiert man bei euch?

Die Geburtstagsrallye

1   Wie wird das Wetter?

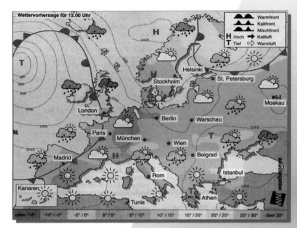

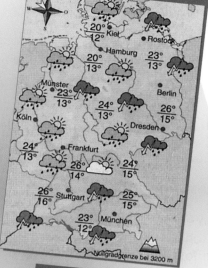

a) **Hör zu. Wie ist das Wetter in Europa?**

b) **Lies die Wörter in Aufgabe e) und vergleiche mit der Europa-Karte.**

c) **Hör zu und antworte.**

d) **Hör zu, zeig mit und sprich nach.**

e) **Hör zu. Was für ein Wetter ist das?**

Die Sonne scheint.   Sonne

Es ist bewölkt.   Wolke

Es ist windig.   Wind

Es donnert und blitzt.   Gewitter

Es ist kalt/warm/heiß.   Temperatur   ... Grad

Es regnet.   Regen

Es ist neblig.   Nebel

Es schneit.   Schnee

f) **Hör die Wettervorhersage. Beantworte die Fragen.**
   1 Wie ist das Wetter am Mittwoch in
      Süddeutschland?
   2 Wie sind die Temperaturen in Norddeutschland?
   3 Wo ist es windiger, in Norddeutschland oder in
      Süddeutschland?
   4 Wie wird das Wetter am
      Donnerstag?
   5 Wie warm wird es am Freitag?
   6 Wie wird das Wetter am Samstag?

2 SMS

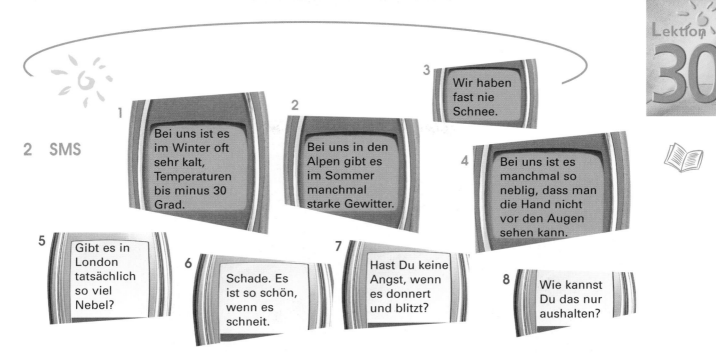

1 Bei uns ist es im Winter oft sehr kalt, Temperaturen bis minus 30 Grad.

2 Bei uns in den Alpen gibt es im Sommer manchmal starke Gewitter.

3 Wir haben fast nie Schnee.

4 Bei uns ist es manchmal so neblig, dass man die Hand nicht vor den Augen sehen kann.

5 Gibt es in London tatsächlich so viel Nebel?

6 Schade. Es ist so schön, wenn es schneit.

7 Hast Du keine Angst, wenn es donnert und blitzt?

8 Wie kannst Du das nur aushalten?

a) Ordne die Aussagen zu. Rechenrätsel. Lösung: ? + ? = 9

b) **Wer schreibt die ersten vier SMS-Nachrichten?**

   A Toni, Österreich   *B* Fofo, Südgriechenland   *C* Peggy, England   *D* Igor, Russland

c) **Wie ist das Wetter bei euch? Im Sommer? Im Winter? Schreib eine SMS an deinen Partner. Tauscht die Nachrichten aus und schreib eine Antwort.**

3 Hoffentlich haben wir schönes Wetter!

● Habt ihr den Wetterbericht gehört? Das hört sich gar nicht gut an. Zum Wochenende Wolken, ✳✳✳ und vielleicht sogar Gewitter!

✳ Na ja, ein paar ✳✳✳ schaden nicht. Im Gegenteil. Sei froh, wenn die ✳✳✳ nicht immer scheint. Dann ist es nicht so ✳✳✳ .

● Ja, schon, aber Regen können wir am Samstag nicht brauchen.

✳ Ich bin sicher, es ✳✳✳ nicht. Vielleicht ein kleines ✳✳✳, das ist doch nicht schlimm.

● Du bist gemein! Ich will nicht, dass es am Geburtstag ✳✳✳ und donnert. Da können wir die Rallye nicht machen.

✳ Ach komm, das ✳✳✳ wird bestimmt schön.

● Hoffentlich!

Ergänze den Dialog. Hör dann den Dialog zur Kontrolle.

L30/6

4 E-Mail an den Brieffreund

Mario antwortet. Schreib die Mail. Tröste Felix. Schreib, dass das Wetter bestimmt gut wird.

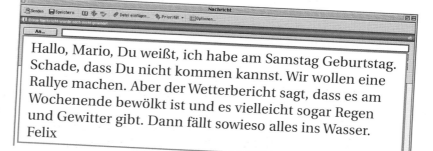

Hallo, Mario, Du weißt, ich habe am Samstag Geburtstag. Schade, dass Du nicht kommen kannst. Wir wollen eine Rallye machen. Aber der Wetterbericht sagt, dass es am Wochenende bewölkt ist und es vielleicht sogar Regen und Gewitter gibt. Dann fällt sowieso alles ins Wasser. Felix

5 Das Rallye-Spiel

1 Steig auf den Berg! Was siehst du links?
2 Geh über die Brücke!
   Wie viele Bäume siehst du?
3 Geh zum See! Welche Tiere siehst du?
4 Geh zum Fluss! Was steht auf dem Schild?
5 Geh zum Rosengarten! Wie viele Rosen
   sind da ungefähr? 20, 50 oder 100?

6 Geh weiter zum Grillplatz!
   Was siehst du auf dem Plakat?
7 Geh zum Eiscafé! Was kostet ein Eis?
8 Geh zum Restaurant! Wie heißt es?
9 Geh zum Spielplatz! Was ist verboten?
10 Schau zur Straße hinüber!
   Welche Buslinie fährt dort ab?

Spielanleitung

Rallye im Park
1. _____
2. _____
...
10. _____
_____
Unterschrift

Spielt in Gruppen zu vier Spielern. Jeder Spieler macht so eine Liste. Diese Liste muss man im Lauf des Spiels ausfüllen.

Man würfelt und zieht den Spielstein. Wenn man auf ein Zahlenfeld kommt, muss man die Aufgabe lesen und sie schriftlich beantworten, nicht laut. Mindestens fünf Zahlenfelder muss man erreichen. Man muss nicht die ganze Liste ausfüllen. Am Schluss unterschreiben.
Wer weniger als fünf Antworten schreiben konnte, muss weiterspielen und die Rallye noch einmal machen. Wer als Erster durch das Ziel kommt, bekommt 4 Punkte, der Zweite 3 Punkte usw.

Dann kontrollieren alle Spieler zusammen die Antworten.
Für jede richtige Antwort gibt es noch einmal einen Punkt.
Wer hat die meisten Punkte?

6 Der Arme!

 **Strategie**

L30/7

a) Hör zu. Worum geht es in dem Text?

b) Hör noch einmal zu.
Beantworte die Fragen.

Stell nach dem ersten Hören W-Fragen. Dann hör noch einmal genau zu und beantworte die Fragen.

1 Was wollte Max machen?
R Er wollte einen kürzeren Weg finden.
H Er wollte als Letzter das Ziel erreichen.
K Er wollte einen Preis gewinnen.

2 Wer fragt: „Konntest du nicht schneller oder wolltest du nicht?"
A Oli.
E Max.
I Lydia.

3 Wie viele Aufgaben sollten die Teilnehmer machen?
T Sieben.
L Zehn.
N Ich weiß nicht.

4 Warum konnten die anderen Max nicht finden?
F Weil er sich verlaufen hat.
L Weil er im Eiscafé war.
S Weil er zu spät gekommen ist.

5 Max ist ins Ziel gelaufen. Was hat er vorher gemacht?
X Er hat zehn Aufgaben gemacht.
P Er konnte nicht mehr laufen.
Y Er musste unbedingt ein Eis essen.

6 Was durften die Teilnehmer nicht machen?
E Sie durften keine Pause machen.
N Sie durften nicht laufen.
A Sie durften keinen Hunger haben.

	dürfen	müssen	können	wollen	sollen
ich	durfte	musste	konnte	wollte	sollte
du	durftest	musstest	konntest	wolltest	solltest
er/es/sie	durfte	musste	konnte	wollte	sollte
wir	durften	mussten	konnten	wollten	sollten
ihr	durftet	musstet	konntet	wolltet	solltet
sie/Sie	durften	mussten	konnten	wollten	sollten

Lösung:

1	2	3	4	5	6
?	?	?	?	?	?

7 Erinnerungsfotos

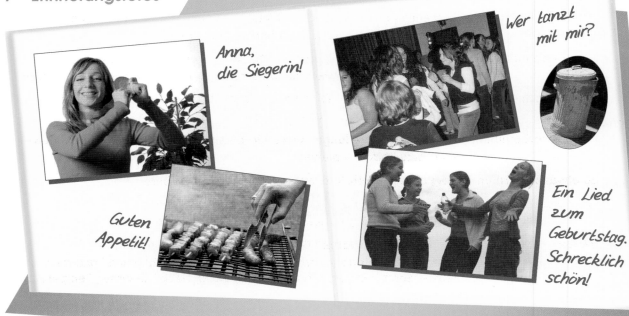

Anna, die Siegerin!

Guten Appetit!

Wer tanzt mit mir?

Ein Lied zum Geburtstag. Schrecklich schön!

a) **Schreib eine Geschichte zu den Fotos.
Probier's zuerst allein.
Zu schwer? Dann hilft dir die Geschichte unten.**

L30/8

b) **Hör zu und sing mit.**

8 Brief an den Brieffreund

Ergänze die passenden Modalverben im Präteritum.

Augsburg, 8. 8. 20..

Lieber Mario,

jetzt ist mein Geburtstag vorbei. Die Party ist aus. Meine Freunde ✳✳ leider nicht länger bleiben. Aber es war wirklich ein tolles Fest. Nach der Rallye sind wir zu uns nach Hause gegangen. Ich ✳✳ gleich wissen, wer Sieger geworden ist. Aber meine Eltern ✳✳ erst die Zettel kontrollieren. Anna, eine Freundin, hat gewonnen. Und ich war Zweiter. Die Siegerin hat eine Goldmedaille bekommen, aber auch für alle anderen war ein kleines Geschenk da.

Dann haben wir eine Grillparty gemacht. Wir haben Würstchen gebraten und Salate gegessen. Und dann haben wir gefeiert. Bis zehn Uhr ✳✳ wir Musik machen und tanzen. Zum Schluss ✳✳ mir meine Freunde noch ein Lied singen. O je, war das falsch, aber lustig! Der Tag war so toll. Allen hat es gefallen.

Schade, dass Du nicht dabei sein ✳✳.

Viele Grüße

Felix

Das kann ich schon:

Sätze und Wörter:

- **jemanden einladen** Zu meinem/r ... möchte ich dich/euch einladen. Wir treffen uns am ... um ... Hoffentlich kannst du / könnt ihr kommen.

- **Vorschläge machen** Möchtest du nicht/vielleicht ...? Du kannst ja/doch ... zum Beispiel ... – Wie ist es mit ...? – Warum geht/macht ihr nicht ...? – Dann geh/mach doch ...

- **einen Vorschlag ablehnen** Immer das Gleiche! – Es ist so heiß/langweilig/... – Das machen wir sowieso (jeden Tag). – Ich weiß nicht. – Ja schon, aber ...

- **ein Fest vorbereiten** ... einladen - Einladungen wegschicken – Essen und Getränke einkaufen – eine Torte backen – planen

- **zu etwas auffordern** Steig auf ...! – Geh über/zu/...! – Schau zu ... hinüber!

- **Glückwünsche** Herzlichen Glückwunsch! / Alles Gute zum Geburtstag! – Frohe Ostern/Weihnachten! – Alles Gute zum neuen Jahr!

- **Wetter** Wie ist/wird das Wetter? Gut/Schlecht. – Die Sonne scheint. – Es regnet/schneit/donnert/blitzt. – Es ist bewölkt/neblig/windig/kalt/warm/heiß. – Sonne, Regen, Schnee, Wolke, Wind, Nebel, Gewitter, Temperatur

GRAMMATIK

1. Präpositionen *für - ohne*

Das Geschenk ist für   meinen Hund.   für   mein Pferd.   für   meine Katze.   für   meine Tiere.
Ich komme nicht ohne meinen Hund. ohne mein Pferd. ohne meine Katze. ohne meine Tiere.

für/ohne + Akkusativ

2. Modalverben im Präteritum

	dürfen	müssen	können	wollen	sollen
ich	durfte	musste	konnte	wollte	sollte
du	durftest	musstest	konntest	wolltest	solltest
er/es/sie	durfte	musste	konnte	wollte	sollte
wir	durften	mussten	konnten	wollten	sollten
ihr	durftet	musstet	konntet	wolltet	solltet
sie/Sie	durften	mussten	konnten	wollten	sollten

Ich | konnte | keinen kürzeren Weg | finden. |

Du | wolltest | ein Eis | essen. |

Sie | durften | keine Pause | machen. |

Wir | sollten | zehn Aufgaben | machen. |

Modalverb   **+**   **Infinitiv**

Lektion 31

Bald sind Ferien!

1 Aus dem Reiseprospekt

 **A** **14-tägige Kombination**
7 Tage große Kenia-Safari plus 8 Tage Baden im Indischen Ozean; Abflug von vielen Flughäfen in Deutschland, Doppelzimmer mit Vollpension 1815 € pro Person

 **B** **Familienferien**
Gemütliches, reetgedecktes Hotel nahe der Insel Poel, 300 m zum Ostsee-Strand; DoZi mit Frühstück 44 € pro Person, weitere Infos bei Fremdenverkehrsamt Mecklenburg-Vorpommern

 **C** **Griechenland Klassik-Studienreise**
Athen, Delphi, Olympia und weitere bedeutende Stätten der Antike; 9 Reisetage, 8 Übernachtungen im Doppelzimmer, Abendessen und Frühstück 1495 € pro Person

 **D** **Französisch lernen in Frankreich**
Antibes, Französische Riviera: Hochwertige Sprachkurse und ein reichhaltiges Freizeitprogramm, 20 Lektionen à 45 Min./Woche; Privatunterkunft DoZi mit Frühstück 795 €

 **E** **Aktiv-Ferien an der Türkischen Riviera**
Club Voyage direkt am herrlichen Strand; Appartements für 1-4 Personen, Animationsprogramm, Diskothek, Sport: Tennis, Fitnessraum, Tischtennis, Fußballtraining, Basketball
All inclusive 549 € pro Person/Woche

 **F** **Camping Miramare Adria/Italien**
Campingplatz nahe am Meer, moderne Sanitäranlagen, Restaurant, täglich Ausflüge nach Venedig und zu den Inseln

 **G** **Feriendorf Tschuggen Schweiz**
Das Feriendorf in der herrlichen Berglandschaft des Wallis besteht aus rustikalen Ferienhäusern. Hallenbad, Grillplatz, Wanderungen; Mietpreis pro Woche/Objekt 595 €

 L31/1

a) **Lies die Anzeigen. Hör zu und antworte:** In welchem Land ... ?

b) **Zu welchen Angeboten passen die Sätze?**
1 Dort kann man wilde Tiere sehen.
2 Da gibt es eine herrliche Berglandschaft.
3 In der Nähe gibt es einen Strand.
4 Da finden Sprachkurse statt.
5 Dort kann man Aktiv-Ferien mit viel Sport machen.
6 Da kann man im Zelt oder Wohnmobil übernachten.

c) **Welche Ferien möchtest du machen? Und warum?**

Lösung:

1	2	3	4	5	6
?	?	?	?	?	?

2 Wir planen unsere Ferien.

a) Hör zu. Über welche Angebote aus dem Prospekt spricht die Familie?

b) Hör noch einmal zu. Lies die Aussagen und verbessere sie.

1 Moritz möchte mit der Familie verreisen, wenn er vorher eine Radtour machen darf.
2 In Afrika ist das Klima unerträglich. Deshalb möchte Mama nach Afrika fliegen.
3 Für Kenia braucht man keinen Pass. Also kann Laura dorthin fliegen.
4 Auf einer Safari kann man viele Tiere sehen. Trotzdem möchte Laura auf eine Safari gehen.
5 Der Vater möchte in die Alpen. Denn in den Alpen ist das Wandern so bequem.
6 Die Mutter fährt gern an die Ostsee, weil an der Ostsee immer schönes Wetter ist.
7 Die Mutter will ans Mittelmeer. Aber am Mittelmeer sind so wenig Touristen.
8 Moritz will in die Türkei reisen. Er möchte in der Türkei Aktiv-Ferien machen, weil er so unsportlich ist.

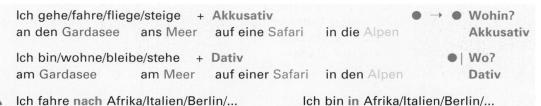

Ich gehe/fahre/fliege/steige	+ Akkusativ			● → ● Wohin?
an den Gardasee	ans Meer	auf eine Safari	in die Alpen	Akkusativ
Ich bin/wohne/bleibe/stehe	+ Dativ			●| Wo?
am Gardasee	am Meer	auf einer Safari	in den Alpen	Dativ

⚠ Ich fahre **nach** Afrika/Italien/Berlin/...   Ich bin **in** Afrika/Italien/Berlin/...

c) Hör noch einmal zu. Stell Fragen mit *Wohin?* und *Wo?*.

3 Reiseziele in Deutschland

a) Hör zu. Sind die Aussagen richtig? Verbessere.

b) Wohin möchtest du fahren und warum?
Wo gefällt es dir bestimmt? Sprich so:
Ich möchte an den Rhein fahren, weil es dort so schöne Burgen gibt.
Am Rhein gefällt es mir bestimmt, weil/denn ...

einhunderteins **101**

Ich fahre in die Berge.

Ich bin gern in den Bergen.

Ich gehe auf eine Safari.

Ich bin gern auf einer Safari.

Ich fliege nach Amerika.

Ich bin gern in Amerika.

4 Spiel: Dalli-Dalli

Zwei Schüler gehen hinaus. Zwei andere
sagen abwechselnd ganz schnell Sätze mit „Ich fahre/gehe ...“ „Ich bin ...“
Alle zählen mit. Wie viele Sätze in zwei Minuten?
Dann kommen die anderen zwei herein und sprechen genau so. Wer hat mehr Sätze?

5 Ein Brief

Du möchtest deinen Brieffreund einladen. Erzähl ihm, was ihr in den Ferien machen
könnt. Beschreibe, wohin ihr bei euch fahren könnt, was ihr besichtigen könnt.
Vergiss Ort, Datum und Anrede am Anfang nicht und die Grüße am Schluss!

6 Was ist, wenn ...?

▲ Du, Moritz, was ist, wenn es beim
Camping ✳✳ ?
❏ Sei doch nicht so ✳✳ ! Wir haben
bestimmt herrliches Wetter.
▲ Ja, aber wenn ...
❏ Was ist denn los? Du bist doch sonst so ✳✳ .
▲ Und wenn nachts ein ✳✳ kommt?

❏ Dumme Frage. Dann bleiben wir im ✳✳ .
▲ Auch wenn es donnert und ✳✳ ?
❏ Die Nächte werden bestimmt wunderbar,
der ✳✳ über dem Meer ...
▲ Aber wenn ...
❏ Kann es sein, dass du Angst hast?
▲ Na ja, ein bisschen.

a) **Ergänze den Dialog
mit diesen Wörtern:**

 *Mond*

*pessimistisch –
optimistisch*

 Zelt

 regnet

Gewitter – blitzt

 L31/4

b) **Hör den Dialog zur Kontrolle.**

7 SMS-Kette

f — Hi, Niko, meine
Eltern haben es
erlaubt.

e — Wir müssen
uns bald tref-
fen. Bis dann!

r — Das passt
mir genauso.
Und wohin
fahren wir?

e — Mein Vorschlag:
Radtour vom
Weserbergland
mit Ziel Nordsee.

i — Ich brauche
einen neuen.
Kein Problem.

s — Da gibt es
Jugendherbergen.
Ist Dein Ausweis
noch gültig?

a — Super. Und
wann fahren
wir weg?

n — Okay. Und
wo kann man
übernachten?

h — Leider erst
im August.

a) **Ordne die SMS-Nachrichten.**

Lösung: Wohin | ? | ? | ? | ? | ? | ? | | ? | ? | ? | ? |

b) **Beantworte die Fragen:**
Wohin geht die Radtour?
Wann geht es los?

8 Radtour: Die Weser entlang

Vom Märchenschloss
zur Ritterburg

Der Weser-Radweg gehört zu den absoluten Favoriten der Rad-Fans. 425 km sind es vom romantischen Weserbergland bis zur Elbmündung. Historische Altstädte, Fachwerkhäuser, Burgen, Schlösser und große Schiffe auf ihrem Weg zur Nordsee: Nie wird's langweilig!

Jugendherberge Holzminden

Name:
JH Holzminden

Adresse:
Am Steinhof • 37603 Holzminden

Raumangebot:
1- bis 8-Bettzimmer, Discokeller

Geschlossen:
05. 12. – 27. 12.

Region:
Weserbergland

Tel.: 05531/4411
Fax: 05531/120630
E-Mail: jh-holzminden@djh-hannover.de

Beantworte die Fragen.

1 Wie lang ist der Weser-Radweg?
2 Was kann man dort sehen?

3 Wo liegt die Jugendherberge Holzminden?
4 Wann ist die Jugendherberge geschlossen?

9 Wie verbringen Jugendliche ihre Ferien?

> Nächstes Jahr darf ich mit einer Jugendgruppe nach England fahren und einen Ferienkurs machen.
> *Consuelo, Toledo/Spanien*

> Ich fahre mit meinen Eltern weg, erst eine Woche in die Berge und dann noch zwei Wochen ans Meer.
> *Davide, 13 J., Trento/Italien*

> Ich war letztes Jahr in einem internationalen Jugend-Camp an der Nordsee. Das war super. Ich habe junge Leute aus aller Welt kennengelernt.
> *Antje, Nijmegen/Niederlande*

> In meinen Ferien fahre ich immer zu meinen Großeltern. Die wohnen direkt am Plattensee. Das ist praktisch.
> *Bela, 14 J., Szeged/Ungarn*

Stell Fragen mit dem Fragewürfel.

Wann? Wer? Mit wem? und ?

10 Meine Ferien

Wie verbringst du deine Ferien?
Bleibst du zu Hause oder fährst du weg?
Wohin fährst du? Ins Ausland? Zu Verwandten? ...?
Mit wem fährst du? Mit deinen Eltern / einer Jugendgruppe? ...? Schreib auf.

Tipp!
Bevor du einen Text schreibst, helfen dir W-Fragen und Stichpunkte dazu.

L31/5

11 Beim Packen

▲ Mama, wo ist mein neues T-Shirt ?

● Ich habe es auf das Bett gelegt .

▲ Es liegt aber nicht mehr auf dem Bett.

Und auch so:

mein grüner Koffer	mein kurzes Kleid	meine dunkle Hose	meine neuen Schuhe
mein langer Rock	mein weißes Hemd	meine bunte Tasche	meine hellen Shorts

über den Stuhl hängen	unter das Sofa stellen	in die Küche legen
an den Schrank	neben das Bett	vor die Tür

hängen   stehen   liegen

Nominativ

Maskulinum		Neutrum		Femininum		Plural	
mein kleiner	Koffer	mein langes	Kleid	meine neue	Jacke	meine hellen	Schuhe
ein kleiner	Koffer	ein langes	Kleid	eine neue	Jacke	helle	Schuhe
der		das		die			

L31/6

12 So viel Gepäck!

▲ Wo ist denn mein roter Bademantel?

● Hier ist ein roter Bademantel.

▲ Ach ja. Danke!

▲ Wo sind denn meine gelben Badesandalen?

● Hier sind gelbe Badesandalen.

▲ Ach ja. Danke!

Und auch so:

13 Spiel: Koffer packen

Erster Spieler: Ich packe meinen Koffer, und das kommt hinein: ein rotes Hemd.
Zweiter Spieler: Ich packe meinen Koffer, und das kommt hinein: ein rotes Hemd, ein kleiner Walkman.
Und auch so: Ich packe meinen Koffer und lege hinein: einen spannenden Roman, ...

14 Camping-Ferien

Was ist wirklich nötig?
Schreib auf:
Man braucht ein Zelt, ...

Liste für die Camping-Ferien

Zelt	Geschirr	Formular 
Luftmatratze 	Taschenmesser	Musikinstrument
Sofa	Zahnarzt	eine neue Frisur
Schlafsack 	Handtücher	Puzzle
Tisch aus Metall	Insektenmittel	Schlüssel
Stühle	Taschenlampe	

15 Auf der Autobahn im Stau

a) Hör zu und schau das Bild an.

b) Schau auf der Karte von Übung 3 nach. Wo ist die Familie gerade?

16 In der Cafeteria

a) Hör zu und schau das Bild an.

b) Hör noch einmal zu und lies die Aussagen. Was ist richtig? Was ist falsch?

1 Sie ist doch mit ihren Eltern und ihrem Bruder hier.
2 Was? Ihr habt einen CD-Player in eurem Wohnwagen?
3 In unserem Zelt ist so viel Platz, da steht eine Luftmatratze drin, und Stühle.
4 Kommt ihr zu unserer Neujahrsparty?
5 Dürfen wir die CD in Ihrem CD-Player abspielen?

Maskulinum		Neutrum		Femininum		Plural	
in	seinem Wohnwagen	in	seinem Zelt	zu	seiner Party	mit	seinen Eltern
	ihrem		ihrem		ihrer		ihren
	unserem		unserem		unserer		unseren
	eurem		eurem		eurer		euren
	ihrem/Ihrem		ihrem/Ihrem		ihrer/Ihrer		ihren/Ihren

17 Postkarte aus Italien

Liebe Oma, lieber Opa,
wir sind gut auf ✳ Camping-
platz angekommen. Auf ✳
Fahrt hatten wir zum Glück
keinen Stau auf der Autobahn.
Das Wetter ist sehr schön.
Laura sitzt gern mit ✳ neuen
Freunden bei uns, vor ✳
Zelten. Moritz ist total
verrückt mit ✳ Sport. Und wir
machen es uns gemütlich.
Herzliche Grüße von ✳
„Italienern"

Herrn und Frau

Theo Schulze

Jenaer Straße 11

D – 21107 Hamburg

a) Ergänze die Possessivartikel.

b) Der Text auf der Postkarte ist nicht ganz wahr. Schreib die Karte richtig.

Berlin! Berlin!

1 Auf dem Bahnhof

a) **Wohin passen die Texte? Ordne zu.**

A
▲ Bitte eine Fahrkarte
nach München.
✳ Hin und zurück?
▲ Nein, einfach.

B
▲ Der IC nach Bremen.
Auf welchem Gleis
fährt der denn ab? ...
Ach, hier ... Gleis 13.

C
▲ Entschuldigung, wo ist
denn der Fahrkartenschalter?
✳ Fahrkarten gibt's auch da
am Automaten.

D
▲ Achtung auf Gleis 14!
Der Regionalzug
aus Hannover, plan-
mäßige Ankunft
14.32, hat zehn
Minuten Verspätung.

E
▲ Auf dem Bahnsteig darf
man aber nicht rauchen.
✳ Tut mir leid. Das habe
ich nicht gewusst.

F
▲ Ich muss zur S-Bahn. Wo ist
denn der Ausgang?
✳ Da drüben.

G
▲ Bitte eine Rückfahrkarte nach Berlin.
✳ Für heute?
▲ Nein, für übermorgen.
✳ Zweiter Klasse? Das macht 35 Euro.

b) **Hör die Lösung zur Kontrolle.**

2 Was bedeutet das?

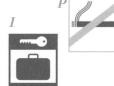 *I*
 P
 *M*
 A
 M
 R *S* *U*
 T
 G
O
K

a) Ordne die Aussagen den Piktogrammen zu.

1 Rauchen verboten – 2 Gepäckaufbewahrung – 3 Toilette –
4 Rolltreppe – 5 Taxi – 6 Telefon – 7 U-Bahn/S-Bahn – 8 Post –
9 Fahrkartenschalter – 10 zu den Zügen

1	2	3	4	5	6	7	8	9	10
?	?	?	?	?	?	?	?	?	?

Lösung:

b) Kennst du noch andere Piktogramme?
Zeichne sie auf und frag deinen Partner: Was bedeutet das?

3 Abfahrt

 **Strategie**
Geräusche helfen dir beim Verstehen.

 L32/2

a) Hör zu. Wo spielt die Szene?

b) Hör noch einmal zu. Such auf dem Fahrplan unten den Zug heraus.

c) Beantworte die Fragen:

1 Auf welchem Gleis fährt der Zug ab?
2 Wie oft hält der Zug bis Berlin?
3 Wer ist nervös?
4 Wo erreicht der Zug sein Ziel?

5 Was muss Laura versprechen?
6 Warum macht sich die Mutter Sorgen?
7 Wann kommt Laura zurück?

4 Fahrplan

8.39	RB 21808	R 10 - Hamburg-Wandsbek 8.47 – Hamburg-Wandsbek Ost 8.51 – Hamburg-Rahlstedt 8.55 – Ahrensburg 9.04 – Sa, So Bargteheide 9.11 – **Bad Oldesloe 9.23**	6b 7b
8.40	ICE 1517 ICE 1717	Berlin Zoo 10.13 ⊙ Leipzig 12.05 – **München Hbf 17.13**	8
8.43	FLX 88174	R 70 - Elmshorn 9.09 – Neumünster 9.33 – Flensburg 10.52 – **Padborg 11.11**	6a
8.46	IC 2303 IC 2113	Dortmund 11.33 – Essen 11.58 – Düsseldorf 12.25 – Köln 12.49 – Bonn 13.12 – Koblenz 13.46 – Mainz 14.38 – **Stuttgart 16.18**	14a/b
8.57 Mo - Sa*	ME 82107	R 30 - Lüneburg 9.32 – **Uelzen 9.57** *nicht an allg. Feiertg	12a/b
		9.00	
9.01	ICE 585	Hannover Hbf 10.23 ⊙ Kassel-Wilh. 11.22 – Würzburg 12.30 – **München Hbf 15.01**	14a/b
9.05	RE 11430	R 10 - Bad Oldesloe 9.34 ⊙ Lübeck 9.54 – **Kiel 11.14**	7a/b

12.16	ME 81416	R 40 - Buchholz(Nordh) 12.38 – Rotenburg(W) 13.07 – **Bremen 13.29**	12a/b
12.19	RE 33011	R 20 - HH-Bergedorf 12.30 – Schwarzenbek 12.41 – Büchen 12.49 ⊙ Schwerin 13.49 – Bützow 14.31 – **Rostock 14.54**	6b
12.20	RE 11216	R 70 - Elmshorn 12.48 – Neumünster 13.15 – **Kiel 13.36**	7a
12.24	ICE 77	Kassel-Wilh. 14.37 – Frankfurt(M) Hbf 16.00 – Mannheim 16.42 – Karlsruhe 17.07 – Basel Bad Bf 18.47 – **Zürich HB 19.58**	14a/b
12.28	IC 2373	Hannover Hbf 13.56 – Kassel-Wilh. 15.30 – Frankfurt(M) Hbf 17.33 – Darmstadt 17.53 – Heidelberg 18.30 – **Karlsruhe 19.02**	13a/b
12.29 täglich *	IC 2124	FEHMARN Lübeck 13.12 ⊙ **Puttgarden 14.39** *ab 5. Mai bis 25. Sep	8
12.34	IC 2572	KIELER FÖRDE Neumünster 13.24 – **Kiel 13.44**	5a/b

Stell deinem Partner Fragen:

Wann / Um wie viel Uhr fährt der Zug nach ... ab?
Auf welchem Gleis? Welcher Zug fährt nach ...?

5 So kommt man nach Berlin.

Beantworte die Fragen.

1 Wie kommt man nach Berlin?

2 Was ist schneller: ein schneller Zug oder das Auto?

3 Wie lange dauert die Zugfahrt von Hamburg nach Berlin?

4 Aus wie vielen Städten in Europa kann man mit dem Bus nach Berlin fahren?

5 Ein Flughafen in Berlin heißt Tegel. Wie viele Flughäfen gibt es noch?

Wie kommst du in die Spree-Metropole?

Schneller als mit dem Auto geht's mit dem Zug. Der ICE braucht zum Beispiel von Hamburg oder Dresden weniger als zwei Stunden. Intercitys verbinden Berlin stündlich mit deutschen Städten.

Die Alternative zur Bahn ist der Bus: Im Linienverkehr bringen dich Reisebusse aus 350 deutschen und europäischen Städten nach Berlin.

Du kannst natürlich auch fliegen: Berlin hat zwei internationale Flughäfen.

6 Ankunft in Berlin

L32/3

a) Hör zu.

Nach wem fragt Tante Rosi?

1 Nach Lauras Freunden.
2 Nach Lauras Familie.
3 Nach Lauras Wohnung.

Wovon erzählt Laura am meisten?

1 Von den Verwandten.
2 Von den Ferien.
3 Von der Schule.

b) Hör noch einmal zu. Lies die Aussagen. Was ist richtig? Was ist falsch?

1 Laura war auf einem furchtbaren Campingplatz.

2 Moritz ist mit seinem alten Rad unterwegs.

3 Der Geografielehrer ist nett.

4 Am Tag vor der Klassenarbeit war Laura mit ihrer besten Freundin im Kino.

5 Sie waren in einem langweiligen Film.

6 Die meisten Fragen waren nicht so schwer.

7 Laura ist mit der schwierigen Frage „Wo liegt die Insel Rügen?" nicht klargekommen.

8 Sie wollte bei ihrer linken Nachbarin abschreiben.

9 Die Insel Rügen liegt im Bodensee.

10 Die halbe Klasse hat das Blatt mit falschen Antworten abgegeben.

11 Keiner hat es gemerkt.

12 Jemand hat eine Sechs bekommen.

Maskulinum	Neutrum	Femininum	Plural
in einem schön**en** Film	mit seinem alt**en** Rad	mit der schwierig**en** Frage	mit falsch**en** Antworten

7 Eine Stadtrundfahrt

1 *Gedächtniskirche*
2 *Potsdamer Platz*
3 *Checkpoint Charlie*
4 *Gendarmenmarkt*
5 *Alexanderplatz*
6 *Brandenburger Tor*
7 *Reichstag*
8 *Schloss Bellevue*
9 *Siegessäule*

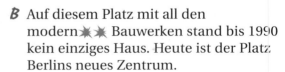

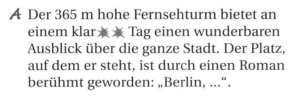

a) **Hör zu und schau die Bilder an.**

b) **Hör noch einmal zu. Wie fährt der Bus? Zeig die Route auf dem Stadtplan mit.**

c) **Lies die kleinen Texte unten. Ergänze die Endungen. Ordne die Texte den Bildern zu.**

A Der 365 m hohe Fernsehturm bietet an einem klar✹✹ Tag einen wunderbaren Ausblick über die ganze Stadt. Der Platz, auf dem er steht, ist durch einen Roman berühmt geworden: „Berlin, ...“.

C Die Säule mit der golden✹✹ Viktoria an der Spitze ist 68 m hoch.

E Es ist das Wahrzeichen Berlins und Symbol dafür, dass die Stadt nicht mehr geteilt ist.

B Auf diesem Platz mit all den modern✹✹ Bauwerken stand bis 1990 kein einziges Haus. Heute ist der Platz Berlins neues Zentrum.

D Am Ku'damm, einer breit✹✹ Einkaufsstraße, steht diese alte Kirche.

F In diesem schönen Schloss wohnt der deutsche Bundespräsident.

A	B	C	D	E	F
?	?	?	?	?	?

Lösung:

d) **Beantworte die Fragen:**

1 Wie heißt Berlins Wahrzeichen?
2 Von welchem Turm kann man an einem klaren Tag über die ganze Stadt sehen?
3 Wie hoch ist die Siegessäule?
4 Wo steht die Kaiser-Wilhelm-Gedächtniskirche?
5 Wie heißt der Platz mit den neuen Bauwerken?

L32/5

8 Damals in Berlin

a) Hör zu und schau die Bilder an.

b) Hör noch einmal zu. Ordne die Bilder den Aussagen zu.

Französische Besatzungszone
A
Britische Besatzungszone
Sowjetische Besatzungszone
Amerikanische Besatzungszone

B

C

1 Das war doch bestimmt komisch, eine Mauer mitten durch die Stadt.

2 1989 war dann die Mauer wieder offen.

3 Nach dem Zweiten Weltkrieg war Deutschland geteilt. Und genauso geteilt war Berlin, in West-Berlin und Ost-Berlin.

4 1961 wurde eine Mauer gebaut, und die Grenzen waren zu.

5 Plötzlich konnte man seine Verwandten in Ost-Berlin nicht mehr besuchen.

6 Die Leute haben am Brandenburger Tor getanzt und gefeiert.

7 Berlin ist nicht mehr geteilt. Deutschland ist wieder zusammen, und Berlin ist wieder die Hauptstadt.

	A	B	C
Lösung:	?	?	?

9 Das gibt es in Berlin!

A

Hallo, ...

B

1 Berlin hat eine lange Kinotradition. 1912 wurden die Ufa-Filmstudios in Potsdam-Babelsberg gegründet. Hier ist zum Beispiel der Stummfilm „Metropolis" entstanden. Und heute wird hier die TV-Serie „GZSZ" produziert. Man kann sich durch die Studios führen lassen und tolle Stunt-Shows ansehen.

2 Berlin ist für seine 170 (!) Museen weltberühmt. Auf der Museumsinsel, einer Halbinsel in der Spree, gibt es unter anderem das Pergamonmuseum mit dem fast 2200 Jahre alten Pergamonaltar. Wer die Büste der wunderschönen Nofretete sehen will, muss ins Ägyptische Museum gehen.

3 Du bist nicht zum Spazierengehen nach Berlin gekommen? Warum nicht? Berlin ist ideal dafür. Fast ein Drittel der Stadt besteht aus Parks, Wiesen, Wäldern, Seen und Flüssen. Der größte See ist der Große Müggelsee mit über 4 km Länge und 2,5 km Breite. Dann gibt es zum Beispiel noch den Wannsee, die Flüsse Spree und Havel und viele Kanäle.

a) **Lies die Texte und ordne sie den Bildern zu.**

1	2	3	4	5	6	7
Lösung: ?	?	?	?	?	?	?

b) **Finde zu jedem Text eine Überschrift.**

... und Willkommen in Berlin!

Was wollt ihr sehen, hier in unserer Hauptstadt? Tolle Läden – tolle Partys? Den Bundespräsidenten – Popstars? Das Brandenburger Tor – den Filmpark Babelsberg? Kultur oder Natur? Hier gibt es für jeden etwas Interessantes. Lasst euch überraschen! Berlin ist laut und leise, Berlin ist bunt und aufregend, Berlin ist jeden Tag anders! Schaut es euch an!

Also, viel Spaß unterwegs!

4 Sport in Berlin? Kein Problem. Auf der Schi-Anlage in Pankow kannst du auf einem Endlosband Schi fahren, auch wenn draußen wenig Schnee liegt.
Wassersport? Na klar! Am Wannsee kann man nicht nur Ruderboote leihen, sondern auch Surfbretter. Und man kann Wasserschi fahren. Außerdem kann man an einem Sandstrand Beach-Volleyball spielen.

5 An Berlin kommt keiner der Stars aus der Musikszene vorbei. Und wo kannst du sie erleben? Zum Beispiel im „Haus der Kulturen der Welt". Die ehemalige Kongresshalle bietet Weltmusik-Konzerte. Und wenn du draußen Musik hören willst, dann geh in die Waldbühne, Open-Air für 20 000 Menschen!

6 In Berlin bekommst du für wenig Geld alle internationalen Spezialitäten. Neuerdings kann man sogar in einem Lokal Insekten essen (wenn man das möchte!). Eine super Gelegenheit, wenn du für wenig Geld essen und unter jungen Leuten sein möchtest, ist die Mensa oder Cafeteria in einer Hochschule oder Universität. Du brauchst nicht mal Student zu sein!

7 Und nun die Shopping-Angebote: Auf dem Ku'damm kommst du am KaDeWe, dem Kaufhaus des Westens, nicht vorbei. 43 000 m² Einkaufsfläche! Da musst du mal drin gewesen sein. Oder die Arkaden am Potsdamer Platz: Hier kannst du shoppen und schauen auf drei Stockwerken. Typisch für Berlin aber sind die kleinen, verrückten Shops, zum Beispiel in Kreuzberg. Hier kannst du witzige Schuhe, coole Taschen und vieles mehr kaufen. Und die vielen CD- und Plattenläden! Einfach super!

c) Stellt Fragen zu den Texten. *Wie viele? Welche? Was für ein ...?*

d) Was interessiert dich an Berlin? Was möchtest du über Berlin erfahren? Sprecht in der Klasse darüber.

Informationen zu Berlin findest du unter www.berlin.de.

Das kann ich schon:

Sätze und Wörter:

- Ferienpläne machen — ... will nach/an/in ... fahren/reisen/fliegen, weil/denn, wegfahren – zu Hause bleiben, Ausland, Ausweis, Pass, gültig, Grenze, Radtour

- Informationen aus einem Reisekatalog entnehmen — Hotel, Meer, Strand, Landschaft, Land, Flughafen, pro Person, Fremdenverkehrsamt, Campingplatz, Jugendherberge

- Ortsangaben machen — ... möchte/will an/in/nach ... reisen/fliegen/fahren – An/in ... gibt es/ist/...

- Orte beschreiben — Dort gibt es ... – Dort kann man ... – Burg, Schloss, Berg, Klima

- Vergangenes erzählen — Damals ... Plötzlich ...

- was es auf dem Bahnhof gibt — Fahrkarte, Rückfahrkarte, Gleis, Bahnsteig, Zug, Verspätung, Ankunft, Abfahrt, Fahrplan, Schalter, Fahrkartenautomat, Ausgang

GRAMMATIK

1. Wechselpräpositionen

Wohin? = Bewegung A → B: mit **Akkusativ**
Die Mutter möchte an die Ostsee.
Moritz will in die Türkei fahren.
Ich habe das T-Shirt auf das Bett gelegt.

Wo? = am gleichen Ort: mit **Dativ**
An der Ostsee ist nicht immer schönes Wetter.
Er möchte in der Türkei Ferien machen.
Es liegt aber nicht auf dem Bett.

2. attributive Adjektive

im Nominativ

Maskulinum		Neutrum		Femininum		Plural	
ein roter	Mantel	ein gelbes	Kleid	eine neue	Hose	weiße	Jeans
mein roter		mein gelbes		meine neue		meine weißen	
kein roter		kein gelbes		keine neue		keine weißen	

im Dativ

mit		mit		mit		mit	
einem roten	Mantel	einem gelben	Kleid	einer neuen	Hose	weißen	Jeans
dem roten		dem gelben		der neuen		den weißen	

im Akkusativ

einen roten	Mantel	ein gelbes	Kleid	eine neue	Hose	weiße	Jeans
den roten		das gelbe		die neue		die weißen	

3. Possessivartikel im Dativ

Maskulinum		Neutrum		Femininum		Plural	
mit		mit		mit		mit	
meinem	Wagen	meinem	Auto	meiner	Familie	meinen	Eltern
deinem		deinem		deiner		deinen	
seinem/ihrem		seinem/ihrem		seiner/ihrer		seinen/ihren	
unserem		unserem		unserer		unseren	
eurem		eurem		eurer		euren	
ihrem/Ihrem		ihrem/Ihrem		ihrer/Ihrer		ihren/Ihren	

1 Lesen

Unsere Leser erzählen

In den Sommerferien bin ich mit meiner Freundin Sarah für zwei Wochen auf einen Reiterhof gefahren. In dieser Zeit hatte ich auch Geburtstag.

Am Morgen von meinem Geburtstag hat meine Freundin gewartet, bis ich wach war, und hat mir dann ein Geschenk gegeben. Es waren eine Kassette und ein Kalender. Den Tag über ist nichts Besonderes passiert, außer dass mir ein paar Leute „Alles Gute zum Geburtstag"

gewünscht haben. Ich habe mich schon ein wenig gewundert, dass mich das Paket meiner Eltern nicht erreicht hat. Sie hatten es nämlich schon angekündigt.

Am Abend hat es dann eine große Überraschung für mich gegeben: Der Gemeinschaftsraum war für eine „Disco" für mich geschmückt. Später habe ich dann auch das Paket meiner Eltern bekommen. Man hatte es für mich bis zur Party aufbewahrt.

Eigentlich kann ich Discos oder jedenfalls Tanzen nicht besonders gut leiden. Trotzdem war dies ein schöner, lustiger und natürlich unvergesslicher Geburtstag für mich.

a) Welcher Titel passt?

   A Das verlorene Paket   **B** Mein außergewöhnlicher Geburtstag   **C** Disco am Nachmittag

b) Welche Antwort ist richtig? Rechenrätsel.

a) Wann hatte Julia Geburtstag?
   2 Vor zwei Wochen.
   4 In den Sommerferien.
   6 Am Morgen.

b) Wo war Julia an ihrem Geburtstag?
   1 Bei ihrer Freundin Sarah.
   5 Bei ihren Eltern.
   9 Auf einem Reiterhof.

c) Wann hat Sarah ihr das Geschenk gegeben?
   5 Als Julia gerade wach war.
  10 Abends an ihrem Geburtstag.
  15 Am Morgen vor dem Geburtstag.

d) Wie ist Julias Geburtstag verlaufen?
   3 Es ist nichts weiter passiert.
   6 Sie hat keine Glückwünsche bekommen.
   9 Sie hat kein Paket von ihren Eltern bekommen.

e) Warum hat sie das Geschenk der Eltern am Morgen nicht erreicht?
   7 Weil jemand eine Party vorbereitet hat.
  11 Weil jemand das Paket zurückgehalten hat.
  13 Weil abends die Party war.

f) Tanzt Julia normalerweise gern?
   8 Nein, aber die Party hat ihr Spaß gemacht.
   6 Ja, weil der Geburtstag lustig war.
   4 Ja, aber Discos findet sie doof.

a+	b+	c+	d+	e+	f+
?+	?+	?+	?+	?+	?+

Lösung: = 40

c) Stell deinem Partner Fragen: *Wer? Wann? Was? Warum? Wie?*

2 Landeskunde

2.1 Wo verbringen die Deutschen ihre Ferien?

Schau die Statistik an und sprich darüber.

Sehr viele Deutsche bleiben ...

84 von 1000 Deutschen verbringen ...

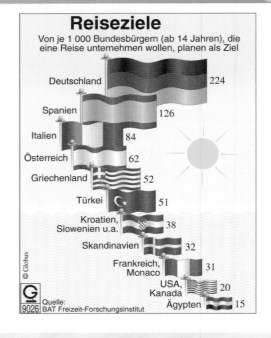

Reiseziele

Von je 1 000 Bundesbürgern (ab 14 Jahren), die eine Reise unternehmen wollen, planen als Ziel

Deutschland	224
Spanien	126
Italien	84
Österreich	62
Griechenland	52
Türkei	51
Kroatien, Slowenien u.a.	38
Skandinavien	32
Frankreich, Monaco	31
USA, Kanada	20
Ägypten	15

© Globus

9026 Quelle: BAT Freizeit-Forschungsinstitut

2.2 Das große Deutschland-Quiz

a) Wie heißt die Hauptstadt?
- T Bonn
- D Berlin
- H Bremen

b) Wie viele Bundesländer gibt es?
- O elf
- A zwölf
- E sechzehn

c) Welches Bundesland ist am größten?
- Y Sachsen
- U Bayern
- H Hessen

d) Welcher Nachbarstaat gehört nicht zur Europäischen Union (EU)?
- L keiner
- K Polen
- T die Schweiz

e) Welche Telefonnummer muss man für Deutschland vorwählen?
- S null-null-vier-neun (0049)
- B null-null-drei-neun (0039)
- R null-null-zwei-neun (0029)

f) Welches Volksfest ist das größte der Welt?
- C das Oktoberfest in München
- G der Karneval in Köln
- D der Karneval der Kulturen in Berlin

g) Was ist der wichtigste Feiertag?
- H Weihnachten
- K Ostern
- Z Neujahr

h) Wie heißt der berühmteste deutsche Dichter?
- J George
- T Grass
- L Goethe

i) Was produziert und exportiert Deutschland am meisten?
- A Autos
- U Mopeds
- E Motorroller

j) Wer tanzt, der Sage nach, am 1. Mai auf dem Blocksberg im Harz?
- M Zauberer
- P Tänzer
- N Hexen

k) Welches Gebirge ist am höchsten?
- S Schwarzwald
- D Alpen
- G Harz

Lösung:

a	b	c	d	e	f	g	h	i	j	k
?	?	?	?	?	?	?	?	?	?	?

3 Gemeinschaftsarbeit – Landkarte

Zeichnet auf einen Karton eine Landkarte
Deutschland – Österreich – Schweiz.
Ihr könnt auch eine Karte kopieren.
Sammelt Postkarten und andere Bilder
und klebt sie an die richtige Stelle in
der Karte.
Tragt auch bekannte Informationen ein,
zum Beispiel Speisen, Fußballvereine,
Veranstaltungen usw.

4 Lernen

Keine Angst vor Fehlern!

a) Beim Sprechen

Eine Sprache lernt man durch Sprechen.
Am Anfang macht man natürlich Fehler.
Das macht nichts. Dein Ziel muss aber sein:
Immer weniger Fehler machen.
Das hilft dir: Denk dir mit deinem Partner
eine Situation aus. Führt darüber ein
Gespräch. Nehmt euer Gespräch auf.
Hört es dann kritisch ab und korrigiert
euch. Achtet besonders auf die
Aussprache und den Satzbau.

b) Beim Schreiben

Wenn du etwas schreiben musst,
zum Beispiel einen Brief, schreib
zuerst spontan auf, was du sagen willst.
Dann lies deinen Text genau durch
und verbessere wenn nötig.
Achte besonders auf passende
Ausdrücke, auf Satzbau,
Grammatik und
Orthografie.

5 Wiederholung

5.1 Das bin ich!

a) **Stell dich selbst vor. Schreib Sätze zu diesen Stichpunkten:**
Name, Alter, Wohnort/Herkunft, Adresse, Telefonnummer, Schüler/in, Klasse, Lieblingsfach,
Geschwister, Freunde, bester Freund / beste Freundin, Hobbys, Freizeit, (Musikinstrument).
Probier's zuerst allein. Zu schwer? Die Sätze unten helfen dir.

Ich heiße/bin / Mein Name ist …
Ich bin … Jahre alt.
Ich wohne in / komme aus …
Meine Adresse ist …, Nummer …
Meine Telefonnummer ist …

Ich bin … und gehe in die … Klasse.
Ich habe … Freunde.
Mein bester Freund / Meine beste … heißt …
Meine Hobbys sind …
Am liebsten …

b) **Sammelt die Zettel ein. Ein Schüler zieht einen Zettel und liest vor.**
Den ersten Satz weglassen! Die anderen raten.

5.2 Gruppengespräch mit Fragekarten

Reisen	Reisen	Reisen	Reisen	Reisen	Reisen
Was ...?	Wie lange ...?	Mit wem ...?	Wo ...?	Wohin ...?	Wann ...?

Stadt	Stadt	Stadt	Stadt	Stadt	Stadt
Warum ...?	Wo ...?	Wohin ...?	Was ...?	Wie ...?	Wann ...?

Freunde	Freunde	Freunde	Freunde	Freunde	Freunde
Wer ...?	Woher ...?	Mit wem ...?	Wen ...?	Wie oft ...?	Warum ...?

a) **Schreibt in Gruppen Fragekarten:**

Macht weitere Karten zu diesen Themen: Sport, krank sein, Essen, Schule, Freizeit, Tagesablauf, Familie, zu Hause, Wohnen, Feiern/Feste.

b) **Zieh eine Karte und stell eine Frage. Ein anderer antwortet. Beispiel:**

Stadt
Wie ...?

Wie komme ich zur Post?

Geh geradeaus und dann rechts.

5.3 Lied

L32/6

a) **Hör zu und lies mit.**

1.
Du musst zu Hause helfen.
Du darfst nicht lange fernsehen.
Du musst ganz fleißig lernen.
Du darfst nicht lange weggehen.
Du darfst nicht in die Disco,
du bist noch viel zu klein.
Pack lieber deine Schulsachen
für morgen ein.

Ich muss noch ein wenig wachsen,
das krieg' ich aber hin.
Mensch, wie bin ich froh,
wenn ich erwachsen bin!

2.
Du musst die Musik leiser machen.
Du darfst nicht lange fernsehen.
Du musst 'ne Mathearbeit schreiben.
Du darfst nicht lange weggehen.
Du darfst nicht in die Disco,
du bist noch viel zu klein.
Pack lieber deine Schulsachen
für morgen ein.

Ich muss noch ein wenig ...

b) **Mach weitere Strophen. Ersetze die erste und die dritte Zeile.**

Du musst sonntags mit zu Verwandten
Du musst pünktlich zu Hause sein

Deine Frisur muss ordentlich sein
Du musst auf deine Geschwister aufpassen

c) **Schreib weitere Strophen:**

L32/7

Du kannst auch die zweite und die vierte Zeile verändern:

Du darfst nicht mit Freunden wegfahren
Du darfst deine Musik nicht hören
...

Wortliste

Die chronologische Wortliste enthält die Wörter dieses Buches mit Angabe der Seiten, an denen sie zum ersten Mal vorkommen. Nomen mit der Angabe (Sg.) verwendet man nur oder meist im Singular. Nomen mit der Angabe (Pl.) verwendet man nur oder meist im Plural. *Passiver Wortschatz = kursiv gedruckt*

Wortliste

Brust, die, ⸚e
Oberkörper, der, -
Schulter, die, -n
Nase, die, -n
Fuß, der, ⸚e
Mund, der, ⸚er
Hals, der, ⸚e
Finger, der, -
Gymnastik, die (Sg.)
weitergehen
fit
perfekt
Schulterhöhe, die (Sg.)
halten
Kreis, der, -e
bewegen
danach
schwingen
erweitern
flach
setzen (sich)
gerade
rutschen
festhalten
ziehen

Seite 18
furchtbar
anstrengend
wehtun
Fieber, das (Sg.)
Schnupfen, der (Sg.)
Grippe, die (Sg.)
Besserung, die (Sg.)
brennen
gleichzeitig
heiß
kalt
bringen
gesund
nächst-
Fußballturnier, das, -e
Schluss, der, ⸚e
außerdem
sonst

Seite 19
Anruf, der, -e
Arzt, der, ⸚e
Termin, der, -e
Vereinbarung, die, -en
Arzthelferin, die, -nen
anrufen
Praxis, die, Praxen
erkältet sein
Sprechstunde, die, -n
Schmerz, der, -en
Appetit, der (Sg.)
Doktor, der, -en
Auf Wiederhören.
Satz, der, ⸚e

sein/seine
normal
Extrablatt, das, ⸚er
Überschrift, die, -en
Schülerzeitung, die, -en
Stelle, die, -n
möglich
bemerken
Torschützenkönig, der, -e
ebenso
ihr/ihre
wahrscheinlich
stattfinden
Grippewelle, die, -n
Würfel, der, -

Seite 20
entschuldigen
Tochter, die, ⸚
Illustrierte, die, -n
Test, der, -s
Psychotest, der, -s
romantisch
beantworten
notieren
Punkt, der, -e
Bodybuilding, das (Sg.)
ansehen
dünn
Rose, die, -n
Auto, das, -s
Traum, der, ⸚e
addieren
realistisch
halten für
unbedingt
Romantik, die (Sg.)
Glücklichsein, das (Sg.)
total
Kerzenschein, der (Sg.)
Liebesfilm, der, -e

Seite 21
Trend, der, -s
cool
lässig
super-in
dynamisch
gefallen
lang
kurz
eng
Superstar, der, -s
Sänger, der, -
Sängerin, die, -nen
Sportler, der, -
Sportlerin, die, -nen
Liebling, der, -e
Einsendung, die, -en
prämieren
Preis, der, -e

Lektion 20: Fußball
Seite 22
bekannt
welch-
Trikot, das, -s
Symbol, das, -e
Stückchen, das, -
Bild, das, -er
Mannschaftsspiel, das, -e
blond

Seite 24
endlich
Halbfinale, das, -s
genauso
gefährlich
Schuss, der, ⸚e
Stürmer, der, -
Zuspiel, das, -e
letzt-
Tor, das, -e
schießen
Einzug, der (Sg.)
Finale, das, -s
schaffen
Ergebnis, das, -se
Jockey, der, -s
Gruppe, die, -n

Seite 25
Jugendarbeit, die (Sg.)
Anfang, der, ⸚e
erfolgreich
Sichten, das (Sg.)
talentiert
Scouting, das (Sg.)
zahlreich
permanent
Junior-Team, das, -s
Eintritt, der (Sg.)
Ausbildung, die, -en
Saison, die, -s
entscheiden
Altersgruppe, die, -n
Mannschaftssport, der (Sg.)
Unfall, der, ⸚e
stoßen
hinfallen

Seite 26
Krankenhaus, das, ⸚er
untersuchen
röntgen
legen
hierher
brechen
Zerrung, die, -en
Verband, der, ⸚e
liegen
Familienname, der, -n
Vorname, der, -n

Telefonnummer, die, -n
Krankenschwester, die, -n
verletzen (sich)
weil
stürzen

Seite 27
Endspiel, das, -e
Kicken, das (Sg.)
Volltreffer, der, -
Garagentor, das, -e
Gartenzaun, der, ⸚e
reizen
Dorfplatz, der, ⸚e
Ecke, die, -n
Steckbrief, der, -e
Größe, die, -n
Gewicht, das, -e
Profi, der, -s

Zum Schluss
Seite 29
Reiterhof, der, ⸚e
familiär
entfernt
Pferd, das, -e
Pony, das, -s
vertreten sein
verbringen
erhalten
Vollpension, die (Sg.)
Reitstunde, die, -n
täglich
weiterhin
Wanderritt, der, -e
Reiterspiel, das, -e
Nachtwanderung, die, -en
Öffnungszeit, die, -en
ganzjährig
Sandboarden, das (Sg.)
Berg, der, -e
sondern
Werk, das, -e
Kaolinsand, der (Sg.)
genug
Porzellanherstellung, die (Sg.)
ablagern
Haufen, der, -
schließlich
vergleichen
Übernachtungsmöglichkeit, die, -en
Campingplatz, der, ⸚e
Sommerrodelbahn, die, -en
Schnee, der (Sg.)
eisig
Kälte, die (Sg.)
täuschen (sich)
unabhängig
Wetter, das (Sg.)

Tal, das, ⸚er
rutschen
bestimmen
Strecke, die, -n
zurücklegen
Sportanlage, die, -n

Seite 30
Vereinsmitglied, das, -er
Schütze, der, -n
Turnverein, der, -e
Reitverein, der, -e
Tennisclub, der, -s
beliebt
berühmt
Sportveranstaltung, die, -en
Segelwettbewerb, der, -e
Vierschanzentournee, die (Sg.)
Schispringer, der, -
Meter, der, -
Höhe, die (Sg.)
Schirennen, das, -
Marathon, der, -s
mitten
durch
Stadtzentrum, das, -zentren

Themenkreis 6
Lektion 21: Unser Gast
Seite 34
Gast, der, ⸚e
herzlich
Willkommen, das (Sg.)
Sohn, der, ⸚e
Deutsche, der/die, -n
Kindergarten, der, ⸚
Hamster, der, -
Geschenk, das, -e
kennenlernen
mailen
froh
darüber
denn
Großmutter, die, ⸚er
Enkel, der, -
Großvater, der, ⸚
Italiener, der, -
Italienerin, die, -nen
Verwandte, der/die, -n
Australien
Australierin, die, -nen
heiraten
leben
Hochzeit, die, -en

Seite 35
Essen, das, -
Essig, der, -e
Öl, das, -e

Pfeffer, der (Sg.)
Salz, das (Sg.)
Radieschen, das, -
Salat, der, -e
Kartoffelsalat, der, -e
Tomate, die, -n
Zwiebel, die, -n
Gurke, die, -n
Beilage, die, -n
Reis, der (Sg.)
Kartoffel, die, -n
Knödel, der, -
Nudel, die, -n
Bratkartoffeln, die (Pl.)
Pommes frites, die (Pl.)
Fleisch, das (Sg.)
Frikadelle, die, -n
Bratwurst, die, ⸚e
Schinken, der, -
Hähnchen, das, -
Schnitzel, das, -
Schweinebraten, der, -
Braten, der, -
Soße, die, -n
Fisch, der, -e
Gemüse, das, -
Spinat, der (Sg.)
Karotte, die, -n
Paprika, die, -s
Bohne, die, -n
Erbse, die, -n
Blumenkohl, der (Sg.)
Sauerkraut, das (Sg.)
Suppe, die, -n
Nachtisch, der (Sg.)
Pudding, der, -e/s
Kompott, das (Sg.)
Kuchen, der, -
Torte, die, -n
Sahne, die (Sg.)
Quark, der (Sg.)

Seite 36
Beispiel, das, -e
uns
fast
schmecken
euch

Seite 37
Paar, das, -e
teils
Schwarzbrot, das, -e
gewöhnt sein
Teller, der, -
einzeln
Gang, der, ⸚e
trennen
abends
vergleichen
Essgewohnheit, die, -en

Zug, der, ⸚e
Zugfahrt, die, -en
Gastfamilie, die, -n
Ausflug, der, ⸚e
Schiff, das, -e
Wanderung, die, -en
Gasthaus, das, ⸚er

Seite 38
Speisekarte, die, -n
Aussicht, die, -en
Nudelsuppe, die, -n
Gulaschsuppe, die, -n
Hauptgericht, das, -e
Zürcher Geschnetzelte, das
Leipziger Allerlei, das (Sg.)
Eisbein, das (Sg.)
Salzkartoffel, die, -n
gemischt
Eintopf, der, ⸚e
Fischgericht, das, -e
Bodenseerenke, die, -n
Bremer, die (Pl.)
Salatplatte, die, -n
Toast, der, -s
rote Grütze, die (Sg.)
Vanillesoße, die, -n
Vanilleeis, das (Sg.)
Schokolade, die (Sg.)
Apfelstrudel, der, -
Getränk, das, -e
Mineralwasser, das (Sg.)
Glas, das, ⸚er
Bier, das, -e
Flasche, die, -n
Wein, der, -e
Apfelsaft, der, ⸚e
Kännchen, das, -
Stück, das, -e
Gericht, das, -e
Gegend, die, -en
Restaurant, das, -s
Topf, der, ⸚e

Seite 39
Ober, der, -
bestellen
Löffel, der, -
Teller, der, -
Besteck, das, -e
Gabel, die, -n
Messer, das, -
Appetit, der (Sg.)
danke
gleichfalls
Pizza-Stand, der, ⸚e
weinen
Geld, das, -er
Fliege, die, -n
sollen

Lektion 22:
Besuch in der Schule
Seite 40
Toilette, die, -n
Aula, die, Aulen
Musikzimmer, das, -
Lehrerzimmer, das, -
Sekretariat, das, -e
Direktorat, das, -e
Chemiesaal, der, -säle
Physiksaal, der, -säle
Schulküche, die, -n
Werkraum, der, ⸚e
Hausmeisterwohnung, die, -en

Seite 41
Partnerklasse, die, -n
Fremdsprache, die, -n
Umwelt, die (Sg.)
Umweltschutz, der (Sg.)
Weihnachten, das, -
Ostern, das, -

Seite 42
wem
gehören
Brille, die, -n
anderswo
streng
überraschen
Hälfte, die, -n
Ausländer, der, -
Türkei, die (Sg.)
Schulkleidung, die, -en
Anzug, der, ⸚e
Krawatte, die, -n

Seite 43
Angola
Mehrheit, die, -en
Zukunft, die (Sg.)
Polen
Meinung, die, -en
Spielplatz, der, ⸚e
Vietnam
Verkehr, der (Sg.)
S-Bahn, die, -en
U-Bahn, die, -en
Tagesablauf, der, ⸚e

Seite 44
international
Fest, das, -e
türkisch
italienisch
vietnamesisch
Frühlingsrolle, die, -n

Wortliste

Lektion 23:
Freizeit für junge Leute
Seite 46
Leute, die (Pl.)
backen
zaubern
angeln
faulenzen
rappen
Flöte, die, -n
Jogging, das (Sg.)
Drachen, der, -

Seite 47
erfahren
Zirkusartist, der, -en
jonglieren
mutig
Typ, der, -en
Bungee-Kran, der, ̈e
Bungee-Jumping, das (Sg.)
Volkshochschule, die, -n
anbieten
Anfängerkurs, der, -e
Modellbau, der (Sg.)
Flugzeug, das, -e
Doppelstunde, die, -n
Kursgebühr, die, -en
versuchen
dass
gefährlich
probieren

Seite 48
schwierig
meinen
Herkunft, die (Sg.)
Wohnort, der, -e
Berufswunsch, der, ̈e
Tierarzt, der, ̈e
Informatiker, der, -

Seite 49
trotzdem
deshalb
Schauspieler, der, -
Beruf, der, -e
Koch, der, ̈e
Köchin, die, -nen
Bäcker, der, -
Bäckerin, die, -nen
Maler, der, -
Malerin, die, -nen
Filmstar, der, -s
Journalist, der, -en
Journalistin, die, -nen
Steward, der, -s
Stewardess, die, -en
Abendfahrt, die, -en
Live-Musik, die (Sg.)
erwarten

Bordfest, das, -e
Einradfahren, das (Sg.)
Fortgeschrittene, der/die, -n
Brauhaus, das, ̈er
rheinisch
inszenieren
Mitmachtheater, das, -
Zuschauer, der, -
Familienangehörige,
    der/die, -n
Motto, das, -s
Stadtteilfest, das, -e
Land, das, ̈er
Veranstaltungskalender, der, -

Lektion 24:
In der Stadt unterwegs
Seite 50
unterwegs
Postkarte, die, -n
Interesse, das, -n
Museum, das, Museen
besichtigen
circa
Welt, die, -en
Spaziergang, der, ̈e
Altstadt, die, ̈e
Zentrum, das, Zentren
direkt
Fluss, der, ̈e
Fahrt, die, -en
Sehenswürdigkeit, die, -en

Seite 51
Stadtplan, der, ̈e
Markt, der, ̈e
Supermarkt, der, ̈e
Bahnhof, der, ̈e
Rathaus, das, ̈er
Schreibwarengeschäft, das,
    -e
Geschäft, das, -e
Kirche, die, -n
Post, die (Sg.)
Apotheke, die, -n
Bäckerei, die, -en
Bank, die, -en
Haltestelle, die, -n
Brücke, die, -n
Ampel, die, -n
Kreuzung, die, -en
Rezept, das, -e
Briefmarke, die, -n
Tablette, die, -n
geradeaus
Briefumschlag, der, ̈e

Seite 52
nächst-
kennen
Weg, der, -e

aufpassen

Seite 53
Kilo(gramm), das, -
billig
Paket, das, -e
Päckchen, das, -
Dank, der (Sg.)
Herzlichen Dank.
stimmen
Kopfschmerzen, die (Pl.)
zuverlässig
Freude, die, -n
Angebot, das, -e
österreichisch
Molkerei, die, -en
Bio (biologisch)
kontrollieren
Anbau, der (Sg.)
Bauer, der, -n
stündlich
frisch

Seite 54
Stadtbahn, die, -en
U-Bahn, die, -en
einsteigen
Hauptbahnhof, der, ̈e
aussteigen
Fußgängerzone, die, -n
Fußgänger, der, -
dauern
Straßenbahn, die, -en
Bus, der, -se
Motorroller, der, -
Fahrrad, das, ̈er
Taxi, das, -s
Motorrad, das, ̈er
Moped, das, -s
S-Bahn, die, -en
Seilbahn, die, -en
Verkehrsmittel, das, -
schweben
genießen
Schiffstour, die, -en
Abfahrtstelle, die, -n
neben
Rundfahrt, die, -en
täglich
Dauer, die (Sg.)
Tagesfahrt, die, -en
Abfahrt, die, -en
Personenschifffahrt, die
    (Sg.)
entspannt
Business, das (Sg.)
Vergnügen, das, -
Stau, der, -s
Parkproblem, das, -e
Information, die, -en
Angebot, das, -e

schlau
Fahrplan, der, ̈e
Tarif, der, -e
mobil

Seite 55
Kaufhaus, das, ̈er
Abteilung, die, -en
Foto, das, -s
Spielwaren, die (Pl.)
Hi-Fi = Highfidelity
Medien, die (Pl.)
Lebensmittel, das, -
Kleidung, die (Sg.)
Autogrammstunde, die, -n
Kleidungsstück, das, -e
CD-Player, der, -
Fernseher, der, -
CD-Rom, die, -s
Fotoapparat, der, -e
dann
vorbei sein
Fahrkarte, die, -n
abholen
dahin

Zum Schluss
Seite 57
umziehen
irgendetwas
stimmen
eilig
trödeln
Turnbeutel, der, -
Rand, der, ̈er
Entschuldigungsschreiben,
    das, -
dribbeln
abstecken
spätestens
gewöhnlich
Chaos, das (Sg.)
ausbrechen
Partnerschule, die, -
Leistungssport, der (Sg.)
anbieten
zusätzlich
normal
Lehrplan, der, ̈e
erfüllen
nachmittags
Vereinstraining, das (Sg.)
Verein, der, -e
feststellen
stören
vormittags

Seite 58
Karneval, der (Sg.)
Neujahr, das (Sg.)
Aschermittwoch, der (Sg.)

Wortliste

Weiberfastnacht, die (Sg.)
Rosenmontag, der (Sg.)
Straßenkarneval, der (Sg.)
eröffnen
abschneiden
Umzug, der, ⸚e
Stadtviertel, das, -
Triumphfahrt, die, -en
Prinz, der, -en
Jungfrau, die, -en
Rosenmontagszug, der, ⸚e
daneben
Wagen, der, -
Großfigur, die, -en
zahlreich
Musikkapelle, die, -n
verkleiden
Kostüm, das, -e
zu Fuß
typisch
Müll-Container, der, -
Plastik, das (Sg.)
Aluminium, das (Sg.)
Weihnachtsmarkt, der, ⸚e
Fabrik, die, -en
Spaghetti, die (Pl.)
Durchschnitt, der (Sg.)

Seite 59
Plakat, das, -e
Wörterbuch, das, ⸚er
Wort, das, -e/⸚er
Buchstabe, der, -n

Themenkreis 7
Lektion 25: Immer Ärger
mit der Schwester
Seite 62
Ärger, der (Sg.)
Sorge, die, -n
jung
bisher
miteinander
auskommen
Klamotten, die (Pl.)
sparen
Taschengeld, das (Sg.)
ein paar
glücklich
sofort
neugierig
interessieren (sich)
enttäuscht sein
vorgestern
wünschen
sauer sein
tolerant
egoistisch
frech
Rat geben

Gespräch, das, -e
Kollegin, die, -nen
ändern
höflich
Büro, das, -s
Firma, die, Firmen
beide
verschieden
im Recht sein
einverstanden sein
Ruhe, die (Sg.)
klar machen
fühlen (sich)

Seite 63
Größe, die, -n
probieren
Ohrring, der, -e

Seite 64
ihm
ihr
ihnen

Seite 65
streiten
leihen
aufhören
einsehen (etwas)
in Ruhe lassen (jemanden)

Seite 66
Metropole, die, -n
Klassiktage, die (Pl.)
Klavierkonzert, das, -e
anbieten
Tanzkurs, der, -e
Jugendliche, der/die, -n
Standard, der, -s
lateinamerikanisch
Salsa
Disco-Fox
Wollmütze, die, -n
Shorts, die (Pl.)
Bikini, der, -s
Badehose, die, -n
Sandale, die, -n
Regel, die, -n
Benimm-Regel, die, -n

Seite 67
Hitliste, die, -n
letzt-
Schrei, der, -e
Mode, die, -n
kaum
reagieren
Geschmack (Sg.)
Marke, die, -n
folgend-
Meinung, die, -en

Bemerkung, die, -en
kleiden (sich)
akzeptieren
akzeptiert werden
richten (sich danach)
frieren
rumlaufen
manch-
arbeitslos
Mittelpunkt, der, -e
Modenschau, die, -en
Dackel, der, -
Pudel, der, -
Schäferhund, der, -e

Lektion 26: Was kommt
heute im Fernsehen?
Seite 68
Fernsehprogramm, das, -e
Norwegen
Tagesschau, die (Sg.)
Thema, das, Themen
antik
Olympionike, der, -n
Reportage, die, -n
Zahnspange, die, -n
Sommerhit-Festival, das, -s
Auslandsjournal, das (Sg.)
Bericht, der, -e
Ausland, das (Sg.)
Journal, das, ,-e
regional
exclusiv
Magazin, das, -e
explosiv
Lifestyle, der (Sg.)
Promi, der, -s
Weltraum, der (Sg.)
Nachricht, die, -en
Blitz, der, -e
Kommissar, der, -e
Einsatz, der, ⸚e
Revier, das, -e
dreist
interaktiv
Puppentrick, der, -s
Puppentrick-Comedy, die, -s
Globetrotter, der, -
Abenteuersuche, die (Sg.)
Thailand
unter anderem
Krokodil, das, -e
Medizin, die, -en
möglich
Operation, die, -en
Schrittmacher, der, -
Rolle, die, -n
deprimiert
verliebt sein
Bauerntochter, die, ⸚er

Nachbarsjunge, der, -n
ineinander
zwischen
verbieten
Liebe, die (Sg.)
Wachmann, der, ⸚er
tot
Kofferraum, der, ⸚e
befragen
Unternehmer, der, -

Seite 69
Programm, das, -e
Sendung, die, -en
Krimi, der, -s
Dokumentarfilm, der, -e
Wissenschaft, die, -en
Science-Fiction , die (Sg.)
Comedy, die, -s
Soap, die, -s
Seifenoper, die, -n
Zappen, das (Sg.)
ärgern (sich)
freuen (sich)
erinnern (sich)
Satz, der, ⸚e
Nationalmannschaft, die, -en
gegen
klappen
prima

Seite 70
Freude, die, -n
Ärger, der (Sg.)
wenn
gleichzeitig
Fernsehzeitung, die, -en
aufbleiben
Horrorfilm, der, -e
aufregend
spannend
Spielverderber, der, -

Seite 71
Küsschen, das, -
Geschmacksache, die, -n
Top-Star, der, -s
Moderator, der, -en
wetten
Trendsetter, der, -
scheußlich
total
hässlich
schrecklich
fantastisch
witzig
schick
echt
elegant
modern

Wortliste

Seite 72
Gesundheit, die (Sg.)
Risiko, das, Risiken
häufig
erhöhen
Gesundheitsrisiko, das, -
risiken
dramatisch
täglich
durchschnittlich
gedankenlos
Chips, die (Pl.)
Softdrink, der, -s
auswirken
Langzeitstudie, die, -n
Neuseeland
Geburt, die, -en
überwachen
Fernsehkonsum, der (Sg.)
befragen
Gesundheitscheck, der, -s
Vielseher, der, -
erschreckend
abschneiden
Forscher, der, -
schädlich

**Lektion 27: Unsere
Wohnung ist zu klein**
Seite 74
schimpfen
unordentlich
gemeinsam
niemand
Regal, das, -e
benutzen
laut
beide
unbedingt
weiter

Seite 75
genug
tun
stressig
überhaupt
endlich
eigen-
dafür
dagegen
diskutieren
Meinung, die, -en
Na endlich!

Seite 76
Zahnbürste, die, -n
Kamm, der, ̈e
Handtuch, das, ̈er
Seife, die, -n
Lockenwickler, der, -
Waschlappen, der, -

Deo, das, -s
Zahnpasta, die, -pasten
Haarspange, die, -n
Ach was!
Bad, das, ̈er
Balkon, der, -s/-e
Wohnzimmer, das, -
Kinderzimmer, das, -

Seite 77
Altbau, der, -bauten
Neubau, der, -bauten
Garage, die, -n
Nebenkosten, die (Pl.)
Heizung, die, -en
Reihenhaus, das, ̈er
Wunschwohnung, die,
-en
hell
Arbeitszimmer, das, -
Partyraum, der, ̈e
mindestens
Traumhaus, das, ̈er
Dschungel, der (Sg.)
stehen
Baumhaus, das, ̈er
gemütlich
Obergeschoss, das, -e
exotisch
Känguru, das, -s

**Lektion 28: Endlich ein
eigenes Zimmer!**
Seite 78
Dach, das, ̈er
weiter-
Trockenraum, der, ̈e
Dachgeschoss, das, -e
ausbauen
Herd, der, -e
kühl
Kühlschrank, der, ̈e
Spülmaschine, die, -n
Maschine, die, -n
Waschmaschine, die, -n
Kleiderschrank, der, ̈e
Spiegel, der, -
Waschbecken, das, -
Badewanne, die, -n
Dusche, die, -n

Seite 79
zufrieden
Möbel, das, -
Möbelkatalog, der, -e
Sessel, der, -
Teppich, der, -e
Lampe, die, -n
Kommode, die, -n
Schreibtisch, der, -e
Decke, die, -n

Tagesdecke, die, -n
Poster, das, -
Sonnenschirm, der, -e
Liegestuhl, der, ̈e

Seite 80
hinter
unter
über
neben
Verkäufer, der, -

Seite 81
Umzug, der, ̈e

Seite 82
Möbelstück, das, -e
Report, der, -e
schweizer
praktisch
bezeichnen
eher
grundsätzlich
achten (auf etwas)
Auswahl, die, -en
Linie, die, -n
bezahlen
Einkauf, der, ̈e
meistens
Preis, der, -e
Qualität, die, -en
Design, das (Sg.)
beschreiben
gemütlich
sogar
vor allem
dunkel
sitzen
Licht, das, -er
leer
praktisch
hängen
breit
bequem
Besuch, der, -e
hoffen
bewundern

Seite 83
dieser/s/e
herrlich
wunderbar
schaffen
feiern
vorbereiten
Karton, der, -s
vorsichtig
drüben
schneiden
da sein
Spielzeug, das, -e

einschlafen
Ach so!
Kiste, die, -n
zu sein
tatsächlich
auf sein
schwach
fleißig
faul
Unsinn, der (Sg.)
Nachbar, der, -n
Hilfe, die, -n
holen

Zum Schluss
Seite 85
Landjugend, die (Sg.)
Bauernhof, der, ̈e
Bilderbuch, das, ̈er
Milchkuh, die, ̈e
Schafherde, die, -n
Hof, der, ̈e
knapp
Autostunde, die, -n
Wirtschaft, die (Sg.)
Ferienwohnung, die, -en
Einwohner, der, -
rundherum
Hügel, der, -
Feld, das, -er
Städter, der, -
träumen
Idylle, die (Sg.)
mieten
Gästezimmer, das, -
irgendwo
jährig-
Heimkehr, die (Sg.)
Busunternehmen, das, -
gründen
Fernweh, das (Sg.)
stillen
Heimweh, das (Sg.)
leiden

Seite 86
Hochhaus, das, ̈er
Wolkenkratzer, der, -
City, die, -s
reichen
Insel, die, -n
Nordsee, die (Sg.)
Dorf, das, ̈er
Einwohner, der, -
Reet, das (Sg.)
decken
Pflanze, die, -n
Fachwerk, das (Sg.)
Konstruktion, die, -en
Balken, der, -
Alpen, die (Pl.)

Wortliste

Holz, das, ⸚er
Malerei, die, -en

Seite 87
Fernsehkonsum, der (Sg.)
morgens
mittags
nachmittags
abends
Wochentag, der, -e

Themenkreis 8
Lektion 29: Wir feiern
Seite 90
Fahrt, die, -en
Abfahrt, die, -en
Fahrpreis, der, -e
erwarten
Show, die, -s
Fahrattraktion, die, -en
Eintrittspreis, der, -e
enthalten sein
Preis, der, -e
inklusive
Vergnügen, das, -
Führung, die, -en
Rahmen, der, -
Sonderführung, die, -en
Blick, der, -e
Kulisse, die, -n
Seelöwe, der, -n
Küsschen das, -
feucht
Flosse, die, -n
Flossendruck, der (Sg.)
Tierpark, der, -s
ermäßigt
sorgen (für)
Areal, das, -e
Spielmaterial, das, - ien
Kasse, die, -n
Menge, die, -n
solch-
Organisationspauschale,
die, -n

Seite 91
sondern
Fütterung, die, -en
Besuch, der, -e

Seite 92
Vorbereitung, die, -en
auswendig
baden
wählen
Sieger, der, -
Briefkasten, der, ⸚
Kaugummi, der, -s
wegbringen

planen
Friseur, der, -e
schneiden
tätig sein
verbringen
Wunder, das, -
ständig
Körperhaltung, die, -en
irgendwann
Golfball, der, ⸚e
Massage, die, -n
abwechselnd
umgekehrt
bewegen
leistungsfähig
Arbeiter, der, -
Brieffreund, der, -e
Hausfrau, die, -en
Sekretärin, die, -nen

Seite 93
Lockenwickler, der, -
Wasserbett, das, -en
Taschenmesser, das, -
Kassettenrekorder, der, -
Wollmütze, die, -n
Motor, der, -en
Glückwunsch, der, ⸚e
Christbaum, der, ⸚e
persönlich
Jahresanfang, der, ⸚e
Feiertag, der, -e
Lärm, der (Sg.)
Tibet
böse
Geist, der, -er
vertreiben
Familienkreis, der, -e
Spruch, der, ⸚e
herumgehen
Stern, der, -e
Kerze, die, -n
verteilen

Lektion 30:
Die Geburtstagsrallye
Seite 94
Europa
Sonne, die, -n
scheinen
Regen, der (Sg.)
regnen
Wolke, die, -n
bewölkt
Nebel, der, -
neblig
Wind, der, -e
windig
schneien
Gewitter, das, -
donnern

blitzen
Temperatur, die, -en
Norden, der (Sg.)
Mitte, die (Sg.)
Süden, der (Sg.)
Westen, der (Sg.)
Osten, der (Sg.)
Grad, der, -e
Süddeutschland
Norddeutschland

Seite 95
minus
aushalten
Wetterbericht, der, -e
gar nicht
gemein
fallen
sowieso
trösten

Seite 96
Rallye, die, -s
Schild, das, -er
Grillplatz, der, ⸚e
Plakat, das, -e
verbieten
verboten sein
hinüber

Seite 97
Spielanleitung, die, -en
Liste, die, -n
ausfüllen
Spielstein, der, -e
Zahlenfeld, das, -er
schriftlich
erreichen
unterschreiben
Unterschrift, die, -en
weiterspielen
Ziel, das, -e
arm
Teilnehmer, der, -
sich verlaufen

Seite 98
Erinnerungsfoto, das, -s
Zettel, der, -
kontrollieren
Goldmedaille, die, -n
braten

Lektion 31:
Bald sind Ferien!
Seite 100
Reiseprospekt, der, -e
Kombination, die, -en
Safari, die, -s
plus
Baden, das (Sg.)

Ozean, der, -e
Abflug, der, ⸚e
Flughafen, der, ⸚ -
Doppelzimmer, das, -
Vollpension, die, -en
pro
Person, die, -en
reetgedeckt
nahe
Verleih, der, -e
fremd
Amt, das, ⸚er
Fremdenverkehrsamt, das,
⸚er
Frankreich
hochwertig
Sprachkurs, der, -e
reichhaltig
Freizeitprogramm, das, -e
Unterkunft, die, ⸚e
bedeutend
Stätte, die, -n
Antike, die (Sg.)
Übernachtung, die, -en
aktiv
Strand, der, ⸚e
Appartement, das, -s
Animationsprogramm, das,
-e
Camping, das (Sg.)
Meer, das, -e
Sanitäranlage, die, -n
täglich
Feriendorf, das, ⸚er
Landschaft, die, -en
bestehen aus
rustikal
Ferienhaus, das, ⸚er
Wanderung, die, - en
Mietpreis, der, -e
Objekt, das, -e
wild
Zelt, das, -e
Wohnmobil, das, -e

Seite 101
verreisen
vorher
Radtour, die, -en
Klima, das (Sg.)
unerträglich
Kenia
Pass, der, ⸚e
Mittelmeer, das (Sg.)
Tourist, der, -en
Reiseziel, das, -e

Seite 102
dumm
Mond, der, -e
pessimistisch

optimistisch
erlauben
wegfahren
passen
Jugendherberge, die, -n
Ausweis, der, -e
gültig
Vorschlag, der, ⸚e
übernachten

Seite 103

entlang
Märchen, das, -
Schloss, das, ⸚er
Ritterburg, die, -en
Radweg, der, -e
absolut
Favorit, der, -en
historisch
Fachwerkhaus, das, ⸚er
Burg, die, -en
Raumangebot, das, -e
schließen
Ferienkurs, der, -e

Seite 104

packen
Koffer, der, -
Gepäck, das (Sg.)
Bademantel, der, ⸚
Badesandale, die, -n
Luftmatratze, die, -n
Schlafsack, der, ⸚e
Metall, das, -e
Taschenmesser, das, -
Zahnarzt, der, ⸚e
Handtuch, das, ⸚er
Insektenmittel, das, -
Taschenlampe, die, -n
Formular, das, -e
Musikinstrument, das, -e
Frisur, die, -en
Puzzle, das, -s
Schlüssel, der, -

Seite 105

Autobahn, die, -en
Stau, der, -s
gerade (= jetzt)
Cafeteria, die, -s
Neujahr, das (Sg.)
wahr

Lektion 32: Berlin! Berlin!
Seite 106

hin
zurück
IC (Intercity), der, -s
Gleis, das, -e
abfahren
Fahrkarte, die, -n

Fahrkartenschalter, der, -
Automat, der, -en
Achtung!
Regionalexpress, der (Sg.)
planmäßig
Ankunft, die (Sg.)
Verspätung, die, -en
Bahnsteig, der, -e
rauchen
Rückfahrkarte, die, -n
übermorgen
Ausgang, der, ⸚e

Seite 107

bedeuten
Piktogramm, das, -e
Gepäckaufbewahrung, die, -en
Rolltreppe, die, -n
Abfahrt, die, -en
halten
nervös
Ziel, das, -e
versprechen
Sorge, die, -n
zurückkommen
Fahrplan, der, ⸚e

Seite 108

ICE (Intercity-Express), der, -s
Intercity (IC), der, -s
verbinden
stündlich
Alternative, die, -n
europäisch
Reisebus, der, -se
Linienverkehr, der (Sg.)
Geografielehrer, der, -
klarkommen
Nachbarin, die, -nen
abschreiben
keiner/es/e
merken
jemand

Seite 109

Rundfahrt, die, -en
Fernsehturm, der, ⸚e
anbieten
Ausblick, der, -e
Roman, der, -e
berühmt
Bauwerk, das, -e
einzig-
Säule, die, -n
golden
Spitze, die, -n
Einkaufsstraße, die, -n
Wahrzeichen, das, -
Symbol, das, -e

teilen
Bundespräsident, der, -en

Seite 110

damals
Mauer, die, -n
durch
mitten durch
offen
Weltkrieg, der, -e
bauen
Grenze, die, -n
plötzlich
Hauptstadt, die, ⸚e
Laden, der, ⸚
Kultur, die, -en
Natur, die (Sg.)
leise
Kinotradition, die, -en
gründen
Stummfilm, der, -e
entstehen
produzieren
führen
Stunt-Show, die, -s
Halbinsel, die, -n
Pergamonaltar, der (Sg.)
Büste, die, -n
wunderschön
ägyptisch
ideal
Drittel, das, -
bestehen aus
Länge, die, -n
Breite, die, -n
Kanal, der, ⸚e
Schi-Anlage, die, -n
Endlosband, das, ⸚er
Wasserschi(fahren), das (Sg.)
Surfbrett, das, -er
Sandstrand, der, ⸚e
Beach-Volleyball(spiel), das (Sg.)

Seite 111

vorbeikommen
Musikszene, die, -n
erleben
ehemalig
Kongresshalle, die, -n
Spezialität, die, -en
neuerdings
Gelegenheit, die, -en
günstig
Mensa, die, -s
Hochschule, die, -n
Student, der, -en
Angebot, das, -e
Einkaufsfläche, die, -n
drin sein

Arkade, die, -n
Stockwerk, das, -e
Plattenladen, der, ⸚

Zum Schluss
Seite 113

Leser, der, -
erzählen
außergewöhnlich
Sommerferien, die (Sg.)
wach
Kalender, der, -
außer
wundern (sich)
ankündigen
Überraschung, die, -en
Gemeinschaftsraum, der, ⸚e
schmücken
aufbewahren
jedenfalls
leiden können
unvergesslich
verlaufen
normalerweise

Seite 114

verbringen
Bundesland, das, ⸚er
Europäische Union, die (Sg.)
vorwählen
Null, die, -en
Volksfest, das, -e
Dichter, der, -
exportieren
Sage, die, -n
Zauberer, der, -
Hexe, die, -n
Gebirge, das, -

Seite 116

wachsen
hinkriegen
erwachsen sein
weggehen
ordentlich

Quellenverzeichnis

Seite 5: Fotos im Uhrzeigersinn: 1, 7: Susanne Probst, München; 3: MHV-Archiv; 4, 8: MEV (MHV-Archiv); 6: Reiterhof Herms, Machow; 9: Stadtwerke München (Michaelibad) - **Seite 6:** Fotos der Jugendherbergen mit freundlicher Genehmigung des Deutschen Jugendherbergswerk (DJH); unten: Foto und Text mit freundlicher Genehmigung des Schul- und Kultusreferat der Stadt München - **Seite 11**: Foto S oben, U oben, R, T, Q: MEV (MHV-Archiv); B, S unten, U unten: 360plus Design, München; L: picture-alliance/ZB (Hubert Link) - **Seite 17**: Text "Fit und schön" aus: Bravo Girl! Nr. 7 vom 10.03.2004, Heinrich Bauer Smaragd KG, München; Zeichnungen: Rkoenigsmark@aol.com für Bravo Girl! - **Seite 21**: Abbildungen mit freundlicher Genehmigung der WSC CHIEMSEE und KGK Kern Gottbrath Kommunikation, München - **Seite 22**: Abbildungen der Logos und Trikots mit freundlicher Genehmigung der einzelnen Fußballvereine; Foto A: picture-alliance © dpa- Sportreport (Michael Hanschke); Fotos B, C: © imago/WEREK; Foto links unten: © FC Bayern (Christian Kaufmann) - **Seite 23**: Foto Nr. 1: © epa-Bildfunk (Roland Weihrauch), Nr. 2: © picture-alliance/ASA (D.P.P.), Nr. 3: © dpa-Sportreport (Oliver Berg), Nr. 4: © epa-Bildfunk (Jason Szenes), Nr. 5: © dpa-Sportreport (Ralf Hirschberger) - **Seite 25**: Text (gekürzt) "Fußballstars von morgen" von: Werner Kern aus: FC-Bayern Junior Team Nr. 5/3. Jahrgang, Dezember 2003; Foto: © FC Bayern (Hans Rauchensteiner, München) - **Seite 27**: Interview mit Benny Lauth aus: Bravo Sport 5 vom 19.02.04 (Abdruck mit freundlicher Genehmigung der Redaktion); Foto und **Seite 59:** © dpa-Sportreport (Florian Eisele) - **Seite 29:** A: Text und Foto mit freundlicher Genehmigung des Reiterhof Herms, Mochow; B: Text und Foto mit freundlicher Genehmigung der Stadt Hirschau; C: Text und Foto mit freundlicher Genehmigung von Josef Wiegand Skiliftbetriebs-GmbH, Rasdorf - **Seite 30:** oben: © 2001 Globus Infografik GmbH, Hamburg; Foto I: Abdruck mit freundlicher Genehmigung des Fördervereins Bergisel-Springen, Innsbruck © Spiess Foto Tirol; E: Abdruck mit freundlicher Genehmigung des Vereins Int. Lauberhornrennen Wengen; K: Abdruck mit freundlicher Genehmigung der Landeshauptstadt Kiel/3-pix-Päsler; L: Presse- und Informationsamt des Landes Berlin/Camera - **Seite 33:** Foto links und 2mal rechts unten: Reinhard Berg, Irisblende.de (MHV-Archiv); alle anderen: Susanne Probst, München - **Seite 37:** Texte "Aus dem Internet" aus: www.goethe.de/alltag/eindruck (Kaleidoskop) - **Seite 43:** Texte der Schüler der Ü7, Hauptschule am Winthirplatz, München - **Seite 44:** Fotos: Brigitte Micheler, München - **Seite 46:** Collage unter Verwendung von © ZDF/"Wetten, dass...?"/Dolce Media (Kulisse) und © Image Source (Personen) - **Seite 50:** Foto 1, 2, 3, 4: Köln Tourismus GmbH; 5: © Zoo Köln - **Seite 54:** Schwebebahn/Mit Bus & Bahn: © Kölner Verkehrs-Betriebe AG; Schiffstouren: Kölntourist - Personenschifffahrt am Dom - **Seite 57:** Foto: © sampics photographie (Stefan Matzke, München); Text von Markus Schäflein aus: SZ vom 21.06.2004, DIZ München - **Seite 58:** Fotos: H. Rogmann, Köln - **Seite 61:** Foto Mitte: MEV (MHV-Archiv); alle anderen Susanne Probst, München - **Seite 62/63:** Fotos: MEV (MHV-Archiv) - **Seite 64:** Fotos obere Reihe: Siehe Seite 21 - **Seite 67:** Text "Mode" nach: Berliner Zeitung vom 02.09.1996; Tücher: Charlys Petshop, Rehweiler; T-Shirt: Sir Harry (Jutta Andrea Betz) Baiersdorf; Mützen und Hund mit Mütze: Heinicke, Karwesee; Dackel: Anke Thomas, Ismaning; Schäferhund: Verein für Deutsche Schäferhunde (SV) e.V.; Meerschweinchen: Gabriele Kopp, München; Katze: Juniors Tierbildarchiv, Ruhpolding - **Seite 68:** Foto A: (Grub Smith) VIVA TV, Köln; B: plainpicture/Grimm, T.; C: (GZSZ) RTL Television, Köln; D: (Ich gehöre dir) MDR Fernsehen, Leipzig; E: (Wolfs Revier) Sat.1, Berlin - **Seite 71:** Fotos aus "Wetten, dass...?" mit freundlicher Genehmigung von Dolce Media GmbH, München © Xanten: ZDF/Renate Schäfer, Basel und Duisburg: ZDF/Carmen Sauerbrei - **Seite 72:** "Risiko-Programm" von Christina Berndt aus: Süddeutsche Zeitung vom 16.07.2004 - **Seite 77:** Baumhaus: © Tourism Queensland Image library, The Mangum Group, München - **Seite 79:** Alle Abbildungen mit freundlicher Genehmigung von: Inter IKEA Systems B.V. - **Seite 82:** "Report" zitiert aus: Klein Report - News vom 22.07.2004 - **Seite 83:** Die verschiedenen Sitzgelegenheiten von www.stokke.com mit freundlicher Genehmigung von WS WerbeService, Lübeck; alle anderen Abbildungen mit freundlicher Genehmigung von: KARE Design - **Seite 85:** Foto: MEV (MHV-Archiv); Text von Julia Decker aus: SZ Magazin vom 13.08.2004 - **Seite 86:** Fotos 1: © Tourismus GmbH Todtnauer Ferienland; 2, 3: MEV (MHV-Archiv); 4: © Franz Stoltefaut, Mittenwald; 5: Rothenburg Tourismus Service; 6: (Maik Schuck) Congress Centrum neue Weimarhalle und Tourismusservicegesellschaft mbH, Weimar - **Seite 87:** Grafik: Globus-Infografik, Hamburg; Foto: Helfried Weyer (weyer@helfried-weyer.de) - **Seite 89:** Foto 1, 6: Superjuli, 2: BigCheese Photo, 3: Goodshoot, 5: Stockbyte, 7: Imageshop (alle MHV-Archiv) - **Seite 90:** Fotos mit freundlicher Genehmigung von: Bayerische Seen Schifffahrt GmbH, Schönau; Holiday Park GmbH, Hassloch; Günter Mattei für den Münchner Tierpark Hellabrunn; Bavaria Filmstadt, Geiselgasteig; Schwimmbad: Reinhard Berg, irisblende.de (MHV-Archiv) - **Seite 92:** Foto mit bestem Dank der Erfinderfamilie Heindl in Neumarkt - **Seite 93:** MHV-Archiv; "Feste und Feiertage international" aus: Kaleidoskop, zusammengetragen vom Goethe-Institut München - **Seite 94:** Alle Abbildungen: Weathernews Deutschland GmbH, Frankfurt - **Seite 98:** Foto links oben: Christine Stephan, München; Mitte oben: Brigitte Micheler, München; rechts oben: © Creatas); unten links: Reinhard Berg, irisblende.de , (alle MHV-Archiv) - **Seite 100:** A, D: MEV (MHV-Archiv); B: Hotel-Restaurant Schäfer Eck, Groß Strömendorf; C: carpe diem Sprachreisen GmbH, Münster; E: Türkisches Fremdenverkehrsamt, Frankfurt/Main; F: www.camping-miramare.it; G: www.dertour.de - **Seite 101:** Schwarzwald: Tourismus GmbH. Todtnauer Ferienland; alle anderen MEV (MHV-Archiv) - **Seite 103:** Foto oben: Weserbergland Tourismus e.V., Hameln; unten: Deutsches Jugendherbergswerk Landesverband Hannover - **Seite 105:** Foto oben: MEV (MHV-Archiv); unten: © Gabriele Camillo, APT Caorle - **Seite 107:** Piktogramme: © 1976 by ERCO Leuchten GmbH, Lüdenscheid; Fahrplan: DB Station&Service AG, Hamburg - **Seite 108:** Foto: MEV (MHV-Archiv) - **Seite 109:** Stadtplan: © Severin + Kühn, Berliner Stadtrundfahrt; Foto 3: Presse- und Informationsamt des Landes Berlin (W. Gerling); alle anderen Fotos: MEV (MHV-Archiv) - **Seite 110:** Fotos links: Landesarchiv Berlin; rechts: Presse- und Informationsamt des Landes Berlin - **Seite 111:** Nofretete: © dpa (picture-alliance/dpa/dpaweb); Park: © Ildar Nazyrov, Berlin; alle anderen: Presse- und Informationsamt des Landes Berlin - **Seite 113:** Foto: Siegfried Büttner, Kleve - **Seite 114:** Globus Infografik, Hamburg - **Seite 115:** Foto: MEV (MHV-Archiv); Logo: 1. FFC Turbine Potsdam

Zeichnungen: Gabriela Stellino, Freiburg (Seite 9, 35, 38, 39, 44, 46, 76, 94, 102, 104, 114, 116)
Fotos: Peter Kallert, Weyarn/Neukirchen (Seite 5, 8, 10, 12, 18, 19, 25, 26, 34, 40, 41, 47, 48, 59, 64 (untere Reihe), 78, 82, 89 (Nr.4), 98 (rechts unten).

Der Verlag möchte sich bei folgenden Personen bzw. Institutionen für das gute Gelingen der Fotoaufnahmen bedanken: Herrn Georg, Jugendherberge Kreuth-Scharling; Herrn Walter Vorndran und Mitarbeiter vom Krankenhaus Agatharied; den Lehrern der Schule der Gemeinde Weyarn; Frau Zintel, Blombergbahn, Bad Tölz; OFT-Reisen, Ditzingen bei Stuttgart.

CD 1 Hörtexte und Hörübungen Lektion 17 – 24

Track			Lektion 17	
1	→	L17/1	Übung 2 a	Hörtext
2	→	L17/2	Übung 3 a	Hörtext
3	→	L17/4	Übung 3 d	Hörübung
4	→	L17/7	Übung 5	Hörtext 1
5	→	L17/8		Hörtext 2 und 3
6	→	L17/9	Übung 6	Hörtext

Track			Lektion 18	
7	→	L18/1	Übung 2 b	Hörtext
8	→	L18/2	Übung 4	Hörtext
9	→	L18/4	Übung 6	Hörtext
10	→	L18/5	Übung 6 b	Hörübung
11	→	L18/6	Übung 7	Lied
12	→	L18/7		Playback
13	→	L18/8	Übung 9 b	Hörtext
14	→	L18/11	Übung 12 a	Hörtext

Track			Lektion 19	
15	→	L19/1	Übung 2 a	Hörtext
16	→	L19/3	Übung 3	Lied
17	→	L19/4		Playback
18	→	L19/5	Übung 5	Hörtext
19	→	L19/9	Übung 9	Hörtext

Track			Lektion 20	
20	→	L20/1	Übung 1 b	Übung
21	→	L20/2	Übung 7	Hörtext
22	→	L20/3	Übung 8 a	Hörtext
23	→	L20/4	Übung 9	Hörtext
24	→	L20/5	Übung 12	Hörtext

Track			Lektion 21	
25	→	L21/1	Übung 1	Hörtext
26	→	L21/5	Übung 6	Hörtext
27	→	L21/6	Übung 6 b	Hörtexte
28	→	L21/7	Übung 7	Hörtext
29	→	L21/8	Übung 12 a	Hörtext Teil A
30	→	L21/9	Übung 12 c	Hörtext Teil B
31	→	L21/10	Übung 13	Hörtext
32	→	L21/11	Übung 15	Hörtext

Track			Lektion 22	
33	→	L22/2	Übung 1 b	Übung
34	→	L22/5	Übung 4	Hörtexte
35	→	L22/6	Übung 6	Hörtext
36	→	L22/7	Übung 11	Hörtext
37	→	L22/8	Übung 13	Lied, Strophe 1, 2
38	→	L22/9		Lied, Strophe 3, 4
39	→	L22/10		Playback

Track			Lektion 23	
40	→	L23/1	Übung 1 a	Hörtext
41	→	L23/5	Übung 5	Hörtext
42	→	L23/6	Übung 7	Hörtext

Track			Lektion 24	
43	→	L24/1	Übung 3 a, b	Hörtext
44	→	L24/3	Übung 3 e	Hörübung
45	→	L24/4	Übung 5	Hörtext
46	→	L24/5	Übung 5 b	Hörtexte
47	→	L24/6	Übung 6	Hörtexte
48	→	L24/7	Übung 8 b	Hörtexte
49	→	L24/11	Übung 13	Hörtext

CD 2 Hörtexte und Hörübungen Lektion 25 – 32

Track			Lektion 25	
1	→	L25/1	**Übung 2**	Hörtext
2	→	L25/2	**Übung 3**	Hörtext
3	→	L25/5	**Übung 5**	Hörtext
4	→	L25/6	**Übung 7 a**	Hörtext

Track			Lektion 26	
5	→	L26/1	**Übung 3**	Hörtext
6	→	L26/2	**Übung 4 a**	Hörtext
7	→	L26/3	**Übung 7**	Hörtext
8	→	L26/4	**Übung 9 a**	Übung

Track			Lektion 27	
9	→	L27/1	**Übung 1**	Hörtext
10	→	L27/2	**Übung 5**	Hörtext
11	→	L27/3	**Übung 5 b**	Hörtexte

Track			Lektion 28	
12	→	L28/1	**Übung 2**	Hörtext
13	→	L28/2	**Übung 3 a**	Übung
14	→	L28/3	**Übung 4**	Hörtexte
15	→	L28/8	**Übung 12**	Hörtext

Track			Lektion 29	
16	→	L29/1	**Übung 3**	Hörtext
17	→	L29/2	**Übung 4 b**	Hörtext

Track			Lektion 30	
18	→	L30/1	**Übung 1 a**	Hörtext
19	→	L30/2	**Übung 1 c**	Übung
20	→	L30/4	**Übung 1 e**	Hörübung
21	→	L30/5	**Übung 1 f**	Hörübung
22	→	L30/6	**Übung 3**	Hörtext
23	→	L30/7	**Übung 6**	Hörtext
24	→	L30/8	**Übung 7 b**	Lied
25	→			Playback

Track			Lektion 31	
26	→	L31/1	**Übung 1 a**	Übung
27	→	L31/2	**Übung 2**	Hörtext
28	→	L31/3	**Übung 3 a**	Übung
29	→	L31/4	**Übung 6 b**	Hörtext
30	→	L31/5	**Übung 11**	Hörtext
31	→	L31/6	**Übung 12**	Hörtexte
32	→	L31/7	**Übung 15**	Hörtext
33	→	L31/8	**Übung 16**	Hörtext

Track			Lektion 32	
34	→	L32/1	**Übung 1 b**	Hörtexte
35	→	L32/2	**Übung 3**	Hörtext
36	→	L32/3	**Übung 6**	Hörtext
37	→	L32/4	**Übung 7**	Hörtext
38	→	L32/5	**Übung 8**	Hörtext

Track			Zum Schluss	
39	→	L32/6	**Übung 5.3**	Lied
40	→			Playback

CD 3 Ausspracheübungen Lektion 17 – 32

Track		Lektion 17
1 →	L17/3	Übung 3 b
2 →	L17/5	Übung 4 a
3 →	L17/6	Übung 4 b
4 →	L17/10	Übung 7 c

Track		Lektion 18
5 →	L18/3	Übung 4 d
6 →	L18/9	Übung 11 a
7 →	L18/10	Übung 11 b

Track		Lektion 19
8 →	L19/2	Übung 2 b
9 →	L19/6	Übung 8 a
10 →	L19/7	Übung 8 b
11 →	L19/8	Übung 8 c

Track		Lektion 21
12 →	L21/2	Übung 3 a
13 →	L21/3	Übung 5 a
14 →	L21/4	Übung 5 b

Track		Lektion 22
15 →	L22/1	Übung 1 a
16 →	L22/3	Übung 2 a
17 →	L22/4	Übung 2 b

Track		Lektion 23
18 →	L23/2	Übung 1 d
19 →	L23/3	Übung 3 a
20 →	L23/4	Übung 3 b

Track		Lektion 24
21 →	L24/2	Übung 3 c
22 →	L24/8	Übung 12 a
23 →	L24/9	Übung 12 b
24 →	L24/10	Übung 12 c

Track		Lektion 25
25 →	L25/3	Übung 4 a
26 →	L25/4	Übung 4 b

Track		Lektion 27
27 →	L27/4	Übung 5 c

Track		Lektion 28
28 →	L28/4	Übung 6 a
29 →	L28/5	Übung 6 c
30 →	L28/6	Übung 7 a
31 →	L28/7	Übung 7 b

Track		Lektion 30
32 →	L30/3	Übung 1 d